INTUIÇÃO

Nelson Liano Jr.

INTUIÇÃO

DESPERTANDO A MEDIUNIDADE
PARA ALCANÇAR NOVOS
ESTADOS DE CONSCIÊNCIA

1ª edição - Setembro de 2022

Grafia atualizada segundo o Acordo Ortográfico da Língua Portuguesa
de 1990, que entrou em vigor no Brasil em 2009.

Editor e Publisher
Luiz Fernando Emediato

Diretora Editorial
Fernanda Emediato

Produtora Editoral
Ana Paula Lou

Capa
Irene Caminada

Projeto Gráfico e Diagramação
Alan Maia

Revisão
Josias A. de Andrade

Dados Internacionais de Catalogação na Publicação (CIP)
de acordo com ISBD

L693i Liano Jr, Nelson
Intuição: Despertando a mediunidade para alcançar
novos estados de consciência. / Nelson Liano Jr.
- São Paulo : Jardim dos Livros, 2022.
208 p. : 15,6 cm x 23cm.

ISBN: 978-65-88438-24-4

1. Religião. 2. Espiritualidade. 3. Xamanismo. I. Título.

CDD 158.12
2022-2042 CDU 159.98

Elaborado por Odilio Hilario Moreira Junior - CRB-8/9949

Índices para catálogo sistemático
1. Espiritualidade 158.12
2. Espiritualidade 159.98

GERAÇÃO EDITORIAL
Rua João Pereira, 81 - Lapa
CEP: 05074-070 - São Paulo - SP
Telefone: +55 11 3256-4444
E-mail: geracaoeditorial@geracaoeditorial.com.br
www.geracaoeditorial.com.br

Impresso no Brasil
Printed in Brazil

Aos meus pais, Nelson e Wilma Apparecida,
que me deram a oportunidade de viver a experiência da encarnação
e que agora seguem viagem pela eternidade...

Somos fascinados pelas palavras, mas onde nos encontramos
é no silêncio por trás delas.

(RAM DASS)

Que a sinfonia de palavras, ritmos e significados presentes neste livro possam servir para os seus leitores conhecerem um pouco mais a si próprios. Que toda a sonoridade literária conduza os seus pensamentos para a fonte primordial do Ser, onde o silêncio e o vazio são absolutos. Que as frases intuitivas manifestadas mediunicamente possam ajudá-los a se libertar de todo o sofrimento inútil por meio despertar da bem-aventurança interior.

(NELSON LIANO JR.)

Sumário

PREFÁCIO

Tudo tem

Márcio Borges

Quando eu era menino, papai se sentava à mesa de jantar e depois da sobremesa vinha o que era, no meu inocente e embevecido paladar, o prato principal, verdadeiro banquete espiritual e intelectual que o velho Salomão Borges servia em doses generosas aos filhos, aqueles que ainda permanecíamos sentados para conversar com ele. Eu, invariavelmente, era um desses privilegiados.

Nessas noites, sentado, ouvindo Salomão, ele ia me aprofundando cada vez mais nos temas da vida: na literatura, na filosofia, nas religiões comparadas; noutras palavras, no apreço pelo saber. "Saber não ocupa lugar", era sua palavra de ordem.

Sendo ele quem era, claro que um assunto que se destacava nas nossas conversas eram os mistérios, os fenômenos transcendentais como a desencarnação, a lembrança de vidas passadas e a mediunidade.

Nessas horas, ele instigava minha própria memória.

Juntos, nos lembrávamos de fatos da minha mais tenra infância, passada na casa de vovô Borges — José Joaquim Borges — português de Trás-os-Montes que residia em Belo Horizonte e que trouxera na bagagem sua fé religiosa e sua antiga amizade com o famoso mestre espírita Bezerra de Menezes. Aliás, meu avô foi um dos fundadores da União Espírita de Minas Gerais, no início dos anos 1900.

Espiritismo era a religião oficial da casa do vovô, onde morávamos num barracão dos fundos, papai, mamãe, Marilton, eu e Sandra, pois naqueles anos ainda éramos apenas 3 irmãos, dos 11 que ainda viríamos a ser.

Vovô Borges e vovó Paulina dirigiam as sessões na sala de estar e Tio Henrique, irmão mais velho de papai, ficava isolado noutro cômodo, onde entrava em transe e, segundo papai, realizava o fenômeno conhecido pelos antigos gregos como *metempsicose*, ou seja, a capacidade de a alma habitar simultaneamente mais do que um corpo físico, às vezes até mesmo suscitando materializações de ectoplasmas.

Ele era considerado um médium tão poderoso quanto Zé Arigó, de quem era amigo. Esse famoso curandeiro, residente em Congonhas (MG), recebia o espírito de certo doutor Fritz e realizava cirurgias inimagináveis.

Na casa da Rua Ceará, Bairro São Lucas, Belo Horizonte, Tio Henrique ajudava a materializar-se na sessão o espírito de certa enfermeira alemã da primeira guerra mundial que sempre surgia para auxiliar no tratamento daquele monte de gente pobre e desvalida que fazia fila na porta da casa de vovô, não só para participar das sessões de cura, como também para receber gratuitamente os medicamentos e pratos de comida que vovô Borges, vovó Paulina e filhos preparavam e distribuíam por caridade.

Narro esses fatos com a pretensão de exibir uma mínima credencial que me habilite a escrever sobre o tema, já que é o prefácio do livro de um *expert* no assunto, talvez um dos maiores pesquisadores, buscadores e conhecedores dessa matéria (e do espírito dessa matéria).

Não quero fazer feio com meu amigo, meu par, meu compadre e incentivador, o escritor e palestrante Nelson Liano, autor deste livro.

Posto isso, devo avançar em alguns detalhes mais esclarecedores a respeito de minha jornada rumo aos dias de hoje (e rumo ao tema deste livro).

Daqueles longínquos dias de criança, eu me lembro apenas do movimento geral na porta de casa: filas de gente pobre; meu pai e meu avô no laboratório a preparar medicinas alternativas; preces rezadas em voz alta em uníssono; vovô zelando pelo seu jardim de ervas medicinais; as visitas ocasionais de doentes célebres e pouco mais.

Dos tempos de sentar-me à mesa com papai, devo dizer que eu ainda era um jovem rebelde, ateu e anarquista, de modo que daquelas conversas eu guardava apenas o lado pitoresco e misterioso e considerava pouco mais que folclóricas as assombrosas narrativas paternas. Não embarcava em nenhuma.

Mas a vida sabe o que faz. Jovem homem, adepto do *flower power*, *hippie* cabeludo e solto no mundo, juntamente com outros curiosos e experimentadores como eu, ingeri substâncias lisérgicas, como o LSD, fumei maconha, usei plantas de poder e alteradoras do estado de consciência, como peyote, psilocibina, ayahuasca, São Pedro, ópio e algumas outras ao longo da vida.

Todavia, afirmo que desde muito tempo sobrevivi a esses arrebatamentos de outrora, tanto que estou com 77 anos e ainda gozo de plena saúde.

O fato marcante dessas viagens lisérgicas da minha mocidade é que eu, mesmo sem método ou disciplina, acabei entrando em sério contato com as substâncias ditas enteógenas, ou seja, aquelas que propiciam forte vivência da divindade dentro de cada um que se submete a seu poder vegetal. Essas plantas me deram lições nas quais aprendi a enxergar e consagrar o sagrado de toda e qualquer existência, em que experimentei estados do ser que me levaram muito além das palavras, muito além da razão e das sensações ordinárias e comuns do dia a dia.

Não bastasse isso, ainda tive o destino de viver profundamente um outro *bardo* (estado intermediário da consciência, segundo o budismo tântrico tibetano), que foi minha experiência pessoal daquilo que os estudiosos chamam de *near death experience*; numa tradução ao pé da letra, a experiência da morte próxima.

Na minha juventude, certa manhã, na praia do Leme, eu nadava além da arrebentação quando sofri uma dolorosa cãibra em ambas as pernas. Depois de minutos excrucientes tentando nadar de volta à praia, fui vencido pela dor, pela fadiga e desespero e então naufraguei. Na ânsia da falta de fôlego, respirei alguns mililitros de água e perdi a consciência. Num átimo, percebi em desespero que estava morrendo afogado e toda a minha existência, com todas as mínimas lembranças, todos os intervalos de milésimos de segundos, passou em meus olhos como se fosse um filme veloz, projetado de frente para trás, que me levou até uma impressionante e nítida memória do meu próprio nascimento e ainda mais além, ou seja, alcancei vislumbres de uma vida intrauterina, das quais jamais me lembrara antes e jamais tornaria a me lembrar com a mesma vividez daquele instante mortal.

Parecia um túnel, uma galeria de lembranças que me guiava direto a uma luz clara, leitosa, calorosa e aconchegante, plena de paz e até de alegria, antes da escuridão tomar tudo e me dissolver no imenso mistério do não-ser.

Mas ainda não era o fim. Subitamente, sobreveio de novo a sensação do horror do afogamento, vozes, água, mãos me tocando.

E de novo a escuridão.

No próximo sobressalto da consciência, eu estava deitado na praia, sofrendo respiração boca a boca, reanimação cardíaca etc. Alguns surfistas haviam acompanhado meus esforços e foram a meu socorro quando eu desaparecera da superfície da água.

Meu primeiro pensamento, ao recobrar a consciência encarnada, não foi de alívio, mas de desânimo.

Eu já havia penetrado na alegria da vida fora da matéria e de novo me via aprisionado a essa carne. "Puxa vida, eu já tinha morrido e estava LÁ! Agora vou ter que passar toda essa agonia outra vez, porque mais cedo ou mais tarde vou ter que morrer de novo!"

Parei nisso um bom tempo.

Aos poucos fui compreendendo a graça e a oportunidade incomensuráveis de voltar a vivenciar o *bardo* da vida encarnada.

O sábio, o mago, o santo da Floresta Amazônica, Mestre Raimundo Irineu Serra, ensinou seus adeptos (dentre os quais me incluo) a cantarem:

"Tudo tem, tudo tem, no mundo não há segredo."

Todo e qualquer fenômeno existe potencialmente em algum plano, e neste plano encarnado isso nunca foi nenhum segredo.

O segredo mais profundo é o que está escondido dentro de toda a Humanidade.

"O tempo é apenas uma ilusão produzida pela sucessão de nossos estados de consciência, à medida que viajamos pela duração eterna."

"A intensidade das nossas mais ardentes aspirações é a verdadeira pedra filosofal, capaz de transmutar chumbo em ouro." Assim escrevia, no século XIX, a fabulosa médium russa Helena Blavatsky, criadora da doutrina da teosofia (*theós*, divindade, *sofia*, saber).

Por outro lado, quanto mais leio e aprendo a respeito da complexidade inerente ao nosso crescente conhecimento científico, como o funcionamento da matéria e da energia, mais vejo que o auge da ciência humana dos séculos XX e XXI leva às mesmas conclusões a que chegaram por outras vias os mais diversos sábios esotéricos, das margens do Ganges aos altiplanos do Peru.

Lembro aqui, sem pretensão de discorrer sobre ela, a teoria da relatividade de Einstein, e também a teoria da mecânica quântica e seus desdobramentos teóricos, que criam paradoxos e consequências incompreensíveis à razão cartesiana e ao universo newtoniano, como o gato de Shrödinger, que ilustra o conceito quântico de superposição, que seria a capacidade de dois estados opostos existirem ao mesmo tempo.

Por sua vez, o bardo (agora não algum estado intermediário, mas o poeta) medieval, William Shakespeare cravou:

"Há mais coisas entre o céu e a terra do que pode imaginar nossa vã filosofia."

Em resumo: a Humanidade sempre soube disso, eu sei disso, desde minha história pessoal, passando pelo conhecimento esotérico e científico que está à disposição de qualquer pessoa curiosa no mundo "internáutico" de hoje.

O fenômeno da mediunidade está plenamente documentado ao longo de milênios de experiência humana acumulada, dos mistérios de Elêusis aos videntes e escribas dos faraós; das sessões espíritas aos mosteiros do Tibete; das plantas sagradas da Amazônia aos laboratórios de aceleradores de partículas, sem falar do saber acumulado pelas culturas populares, que nos enriqueceram com ritos, sons, santos e orixás.

Isto só acrescenta um grande valor ao livro do compadre Nelson, que vocês estão prestes a saborear como eu saboreei: mente aberta e curiosidade infantil à flor das questões.

Nelson tem um histórico de viagens e peregrinações às mesmas fontes em que beberam grandes gurus, sendo ele próprio um médium, eu diria, autodesenvolvido. E diria, mais ainda, que não há outra maneira de se tornar médium consciente a não ser a autodesenvolvida.

Penso, como Nelson, que qualquer cidadão pode desenvolver e exercer o domínio dessas inatas funções neurocerebrais, comuns a todos os humanos, pois não são senão sofisticados e muitas vezes incompreensíveis terminais captadores de ondas, moléculas, antimatéria, neutrinos e outras vibrações cósmicas, já que isso tudo, em última instância, é uma só e mesma coisa.

Portanto, caros leitores e leitoras, aventurem-se, sem medo ou preguiça, por essa trilha que certamente os levará, a uma região mental, espiritual e física melhor e mais generosa do que aquela em que se encontra estagnado e amedrontado o pobre e sofrido povo brasileiro.

A busca consciente de um saber que enriqueça as mentes e as experiências da vida, sem preconceitos, não excludente, amplo e abrangente, simpático e aberto, por princípio igualitário, a todas as contradições, só pode tornar o ser humano mais tolerante e pacífico, melhor em tudo e por tudo, mais sábio e mais poderoso em sua ilusória duração encarnada.

Boa leitura e boa viagem!

***Márcio Borges**, compositor e escritor, parceiro de Milton Nascimento, é um dos principais letristas do Clube da Esquina, e autor dos livros: "Os sonhos não envelhecem", "Os 7 falcões", "Cartas da Humanidade" (organizador) e "O canto do pássaro preto", tradução de Blackbird Singing, poemas e letras de Paul McCartney.*

Apresentação

O motivo que me faz escrever é a necessidade de autoconhecimento. Há algumas encarnações, venho buscando a união com o meu Ser. A escrita me conecta com estados de consciência da minha memória divina. Ao mesmo tempo que vou aprendendo, também deixo disponível o conhecimento que recebo por meio da escrita mediúnica para quem quiser. Acho que as minhas experiências podem servir de espelho para outros buscadores. Não tenho a pretensão de ser mestre de ninguém, a não ser de mim mesmo. Nem tampouco perco meu tempo com questões de "iluminação", o que considero uma grande armadilha do ego. Vivo intensamente meu lado espiritual e o mundano, conforme os caminhos vão se apresentando na minha peregrinação por esta vida.

Neste livro, narro algumas das muitas experiências mediúnicas que tive nesta encarnação, não por achá-las especiais, mas para, quem sabe, ajudar outras pessoas a perceberem situações provocadas pela mediunidade em suas próprias vidas. E você poderia me perguntar: qual a importância de se ter conhecimento dos fenômenos mediúnicos que nos cercam? Ou, até mesmo, se a mediunidade é real ou uma fantasia. E eu lhe responderei, com sinceridade, que para mim essa é uma realidade palpável, presente na minha vida desde a infância. Mas tampouco me importa se outras pessoas vão acreditar ou não nesse fenômeno. Definitivamente, não quero convencer ninguém de nada, porque não estou atrás de seguidores. Simplesmente me cabe contar as minhas vivências.

O não entendimento da mediunidade, que é um atributo comum a todas as pessoas, acarreta uma série de problemas. Muitas doenças físicas têm origem em situações psíquicas e espirituais incompreendidas. Por exemplo, a depressão, que é uma enfermidade com fortes componentes psicológicos, origina-se, na maioria dos casos, em questões mediúnicas mal resolvidas. Mas é fato que a percepção do nosso mundo interior, o mergulho profundo nele por meio da meditação e outras práticas de autoconhecimento, nos ajuda a evitar muitos sofrimentos, a maioria deles relacionados com o medo da morte. E a percepção da mediunidade nos mostra que já vivemos e morremos muitas vezes. Isso nos traz a conformação com a vida, da maneira como ela se apresenta. Não que eu esteja propondo conformismo. Ao contrário, minha intenção é deixar pistas por meio de minhas vivências para que possamos usar melhor todo o potencial dos dons que recebemos como seres viventes.

Reduzi meu corpo em pó

O meu Espírito entre flores...

(Mestre Raimundo Irineu Serra)

Meditações no Ser

Grande parte dos conhecimentos contidos neste livro foi recebida por meio de canalização espiritual. Estes conhecimentos não são inéditos, por já existirem até mesmo antes da Criação. Coube a mim, como escritor, adentrar à Biblioteca Universal, por meio da meditação e de outras práticas espirituais, para captar algumas destas mensagens que vêm orientando a busca da humanidade pelo entendimento da vida e da morte, desde tempos ancestrais.

Muitos sábios, escritores e poetas já falaram sobre as coisas que estão escritas neste livro. E, essencialmente, elas tratam da necessidade que os seres humanos têm de conhecer e se integrar ao seu verdadeiro Ser.

De tempos em tempos, essas palavras originadas em mensagens universais são relembradas como uma alternativa para guiar as pessoas no complexo mundo material ilusório, que as afasta dos seus caminhos interiores. Ou, quem sabe, essas palavras sirvam para inspirar alguns a encontrar a paz, para seguirem a jornada existencial através dos ciclos encarnatórios do *Samsara*.

A chave do livre-arbítrio

Um dos grandes mistérios da Criação é o livre-arbítrio, que faz de cada um de nós um Deus nas suas decisões. Assim, empreender uma peregrinação por meio de palavras e imagens concebidas na forma de um livro é um desafio. Ainda mais em tempos de comunicações instantâneas que hipnotizam a nossa mente com *flashes* constantes de uma realidade ilusória.

O Swami Dayananda Saraswati, antes de abandonar o seu corpo físico, afirmou que a maior violência que se pode cometer contra um semelhante é a violência da conversão religiosa. Eu acrescentaria às palavras do mestre védico que qualquer conversão forçada, seja religiosa, ideológica, econômica, sexual, amorosa ou de qualquer outro nível, é uma violência.

O Mestre Raimundo Irineu Serra, num dos cantos recebidos no seu hinário "O Cruzeiro" ensinou: "Para ser irmão legítimo, é preciso um juramento, não brigar com seu irmão e nem trocar seu pensamento".

Entendo que o livre-arbítrio é uma chave preciosa que cada Ser encarnado recebe na sua concepção para realizar com liberdade a sua jornada neste plano existencial. Ele nos torna deuses criando diversas realidades por meio das nossas decisões e escolhas.

No fluir da vida, cada decisão ou escolha terá consequências. Não estou me referindo ao pecado e ao medo da punição, mas às consequências geradas pelas nossas ações que acontecem de maneira natural.

Se você chutar uma pedra no seu caminho, terá grande probabilidade de machucar o seu pé. Ou essa pedra chutada poderá atingir e ferir alguém que estava passando, e que pode querer lhe processar ou se vingar, causando-lhe um dano ainda maior. Por outro lado, se você plantar flores ao seu redor, um dia poderá ficar inebriado pelo perfume emanado por elas. A sua visão irá se regozijar ao ver tanta beleza e simplicidade nas cores de cada uma das pétalas dessas flores plantadas por você. E, se um dia receber uma pessoa que você ama, terá flores para oferecer a ela, manifestando o seu amor.

Esses escritos são para alguém que os aprecie e os use. Não se trata de verdades absolutas, mas de pistas para que cada um, conforme o seu livre-arbítrio, possa utilizá-los como referência para navegar no fluxo da eternidade que envolve a todos nós.

Quem acha que vai encontrar neste livro alguma revelação esotérica complexa acessível só para iniciados, desista. A função desses textos recebidos por canalização espiritual mediúnica é só lembrar de conhecimentos essenciais que sempre existiram, mas que são esquecidos no nosso atribulado dia a dia.

Ainda parafraseando o Mestre Irineu, apresento nessas páginas um pouco da minha memória divina conectada com outros autores ancestrais. E também algumas das minhas vivências, que acredito possam servir de espelho para outros buscadores do Ser.

Estes ensinamentos expostos aqui não são de um guru, de um pajé, de um mestre ou de um xamã, mas de vários deles que se manifestaram para mim em diferentes tempos e em diversos lugares durante a minha jornada existencial e que se transformaram em Um dentro do meu coração.

CAPÍTULO I

Intuição: a flor do coração

A intuição é uma manifestação do nosso verdadeiro Ser. Uma forma que transcende qualquer padrão mental condicionado à razão. Ela surge no fluxo da existência para nos lembrar da nossa verdadeira natureza. A intuição é a voz da nossa consciência nos ensinando a realizarmos a nossa jornada do mundo material para o imaterial, sem perdermos a conexão com a eternidade.

No Dicionário Michaelis, intuição significa: "Conhecimento imediato e claro, que não é precedido de elaboração lógica". Para os espíritas, "a intuição é uma manifestação da nossa alma, oriunda da Inteligência Divina que nos habita. Por isso, transcende os limites da razão".

Em sânscrito, intuição significa *paramana-nirapeksha-jnamam*, que tem a tradução literal de "conhecimento que não depende de um meio de conhecimento". Então é algo espontâneo que brota naturalmente da nossa necessidade de viver de uma maneira mais livre e sem as amarras da razão e da lógica, que são ditadas pela nossa mente. Não dependendo de uma fonte de conhecimento, a intuição existe por si mesma.

Livre de qualquer referência mental e de sistemas de conhecimentos, a intuição pode nos conduzir naturalmente à bem-aventurança interior. É uma guia para nos despertar para aquilo que realmente somos. A intuição está além de todos os sentimentos que vão se formando em nós durante o processo da vida. É um suspiro silencioso do nosso espírito, nos inspirando à volta para a nossa verdadeira morada.

Mas é importante que possamos perceber a intuição de maneira verdadeira. A astúcia da nossa mente é enorme e pode tentar nos enganar com sentimentos banais, alimentados pelo nosso ego, nos fazendo crer ser intuição. A verdadeira intuição está além de qualquer significado ou sentido.

Nas palavras de Mooji, um guru jamaicano que se inspira nos ensinamentos de Ramana Maharshi:

"Quando você vive guiado pela intuição, em vez do pensamento, a sua vida dança como escrever sobre a água, sempre fresca e irrastreável".

A *Yoga* que desperta a intuição

Yoga, em sânscrito, significa união. É a transcendência da atenção limitada ao nosso corpo e à nossa personalidade para o Divino (Ser). A nossa existência não está limitada a um corpo e, tampouco, à personalidade, palavra que tem origem no grego e significa "máscara". Portanto, a personalidade é uma projeção das várias máscaras que usamos para esconder o nosso verdadeiro Ser.

Tudo que fazemos para nos mantermos despertos da nossa verdadeira realidade é *yoga*. Existem infinitas maneiras de praticar *yoga*. Entre elas, a mais poderosa é a meditação. Se entendermos que o estado meditativo está presente em todas as coisas, poderemos despertar do ilusório sonho de materialidade e de prisão à dualidade. Assim, poderemos nos libertar da escravidão dos julgamentos e usufruir da liberdade de simplesmente existir conectados ao Todo Universal.

Mas o que significa despertar do sonho da materialidade? Em poucas palavras, é cessar a identificação com o nosso corpo, com a nossa personalidade e o nosso ego. Isso não é uma coisa simples. A capacidade interpretativa intelectual pode ser facilmente alcançada por meio do estudo, mas o verdadeiro conhecimento tem origem no silêncio e no vazio, e transcende as formas usuais de linguagem. Então, alcançar esse estado de comunhão com o nosso verdadeiro Ser pode ser uma jornada de muitas encarnações. E a intuição é essencial nesse processo, porque é uma bússola para percorrermos o caminho da Unidade.

Quando digo que a iluminação, que nada mais é do que a integração definitiva com o nosso Ser, pode demorar muitas vidas, talvez o buscador que esteja lendo este livro já se sinta cansado ou até desanimado. Mas vale lembrar que o tempo, na perspectiva cósmica, tem outra dimensão. Um segundo ou cem anos representa um fluxo existencial que se desdobra além da nossa percepção mental. Por isso, não se preocupe com a extensão do tempo, que cosmicamente falando é absolutamente inexistente. Só desperte-se e fixe-se no presente, porque o processo acontecerá de forma natural.

Realizar qualquer prática almejando a iluminação é pura besteira. O mais importante é aproveitar a paisagem durante a viagem encarnatória se libertando, pouco a pouco, dos pensamentos limitantes. Um dia iremos nos iluminar, mas como não sabemos quando, então aproveitamos o presente e seguimos em frente. A paisagem existencial está à nossa volta, dentro e fora de nós para contemplarmos e devemos aproveitar o momento que é sempre único.

Uma pessoa que se concentra para rezar ou orar para uma divindade, independentemente da sua crença, está praticando *yoga*. As giras da umbanda com incorporações de entidades espirituais também são práticas *yóguicas*. Assim como os bailados do Santo Daime, as pajelanças indígenas, as derberas sufis e os rituais xamânicos. Qualquer prática de autoconhecimento que tenha o propósito de nos despertar para a nossa Unidade é uma forma de *yoga*.

Acredito, inclusive, que muita gente pratica *yoga* sem perceber. Por exemplo, numa situação extrema de perigo quando a pessoa tenta acalmar a respiração acelerada, fazendo um *paranayama* (respiração consciente) intuitivo, está praticando *yoga*. Esta é uma forma de concentrar-se no mundo interior livre do problema que está causando a aflição, o desespero ou o sofrimento.

Quando alguém contempla o pôr-do-sol, está praticando *yoga*. Perante a beleza do crepúsculo, naturalmente irá esvaziar-se de todos os pensamentos, fixando-se de maneira hipnótica na profusão de cores e se sentirá livre dos fatos cotidianos que geram os pensamentos sofredores.

Os exemplos são infinitos, e os praticantes de *yoga*, incontáveis. Acredito que todos os seres viventes praticam *yoga* em algum momento da vida, estando conscientes ou não. Mesmo porque a Unidade entre todas as coisas criadas e não criadas é inerente, em quaisquer planos existenciais. A questão é ter consciência ou não desse fato; estar dormindo ou desperto para a verdadeira realidade que nos cerca.

Assim, sempre que ficamos atentos cultivando a nossa intuição estamos praticando *yoga*, ou seja, estamos realizando a Unidade com o nosso Ser Divino. Quando esse processo se completa, alcançamos a iluminação, o despertar completo em relação à nossa verdadeira natureza. Mas como isso pode levar muitas encarnações, como já foi dito, a iluminação não deve ser o nosso objetivo. Ela acontecerá naturalmente como consequência das nossas práticas intuitivas e meditativas.

Pensamentos inibem a intuição

A mente está sempre ativa, sempre gerando pensamentos. Assim como o oceano sempre gera ondas, não podemos parar nossos pensamentos mais do que podemos parar as ondas do oceano. Descansar a mente em seu estado natural é muito diferente de tentar parar os pensamentos todos. Apenas observe seus pensamentos.

(Yongey Mingyur Rimpoche)

O ser humano, no mundo moderno, viciou-se em pensar. E esse fluxo ruidoso de pensamentos forjados na dualidade é uma verdadeira muralha para a nossa intuição se manifestar. Por outro lado, se buscamos a verdadeira fonte do nosso Ser, gradativamente iremos nos libertar desse "vício mental". Os grandes yogues sugerem que para alcançarmos a paz interior e a realização precisamos nos desapegar dos nossos pensamentos. Se apenas observarmos os pensamentos, não ficaremos escravos de nenhum deles, porque eles irão surgir e desaparecer naturalmente.

Um pensamento que permanece é uma obsessão. Mas, como vivemos sob a lei da impermanência nesta existência, ele também é uma ilusão. Na realidade, nada permanece e tudo se transforma constantemente. Então, como um pensamento pode permanecer? Isso é impossível. Podemos criar outros pensamentos obsessivos para sustentar o pensamento obsessor original. Mas aí já não será o mesmo, mas sim uma série de outros pensamentos criados para tentar mantê-lo.

Uma maneira de entender como criamos uma série de outros pensamentos paralelos, para sustentarmos o pensamento obsessor, é observar as costumeiras brigas de casais. Na maioria das vezes, os dois iniciam uma discussão que se amplia de maneira tão vertiginosa, que depois de uma hora já não sabem mais qual o motivo original da briga.

Assim funciona a nossa mente. Geramos pensamentos simultâneos encadeados uns nos outros e esquecemos da fonte onde eles são gerados. Se voltarmos nossa atenção para a fonte desses pensamentos eles perderão a força e serão apenas nuvens no céu mudando de forma e desaparecendo no azul infinito.

Um pensamento obsessor é causa de muito sofrimento. Ele enreda o pensador numa teia de outros pensamentos subsequentes e o imobiliza à espera da aniquilação. Para os espíritas, um pensamento obsessor deve ser doutrinado. E, para os psicanalistas e psiquiatras, a pessoa que está presa a uma obsessão precisa de tratamento terapêutico. Ou seja, a obsessão é uma doença, tanto do ponto de vista espiritual quanto médico, e pode causar depressão, fraqueza psíquica, turbulência comportamental, agressividade e até levar sua vítima a cometer assassinato ou suicídio. A coisa é muito grave.

E como poderemos nos libertar de um pensamento obsessivo? Olhando de frente para ele, sem negar a sua existência, mas não dando a ele a importância que a nossa mente deseja. Se entendermos que esse pensamento é impermanente, já tiraremos muito da sua força destrutiva. Também, se relativizarmos a mensagem contida nesse pensamento obsessor, observando o lado positivo que existe em todas as coisas, poderemos nos livrar das suas influências maléficas. Dessa maneira, nos libertaremos dessas obsessões que surgem durante o nosso processo existencial e abriremos caminhos para a manifestação da intuição.

Nenhum pensamento é necessário. Tudo que você pensa não existe.
O que quer que você esteja pensando apenas transforma a realidade
em algo diferente do que ela é.
(Ranjit Maharaj)

O externo não pode afetar o interno

Ser belo significa ser você mesmo.
Você não precisa ser aceito pelos outros. Você precisa aceitar a você mesmo.
(Thich Nhat Hanh)

O inferno são os outros.
(Jean Paul Sartre)

Uma das coisas mais difíceis durante a existência num corpo é não se deixar levar pelos ruídos externos que chegam até nós. Os acontecimentos cotidianos e o sistema de vida da atual civilização humana colocam demasiadamente a nossa atenção em acontecimentos externos. Somos bombardeados por uma enxurrada de informações por todas as mídias, sem tempo para processá-las. Além do fato de que as nossas relações pessoais, profissionais, amorosas e familiares são colocadas em xeque a todo momento.

Tudo isso cria um bloqueio para acessarmos os nossos canais intuitivos internos. Acabamos nos importando mais com o que os outros pensam ao nosso respeito do que com nós mesmos. Assim, vivemos presos a um mundo de aparências e distanciados do nosso Ser. Criamos uma aparência, um falso eu, para darmos satisfações aos outros. Acabamos não satisfazendo nem o outro, porque quem está predisposto ao julgamento sempre encontrará defeitos em todos, e nem a nós mesmos.

O bombardeio de informações nos faz acreditar que somos diferentes da nossa verdadeira natureza divina. Sem acesso à intuição, a nossa personalidade se tornará cada vez mais forte, alimentada por aparências de uma realidade distorcida que, na verdade, só existe na nossa mente. Procuramos certezas vivendo num plano em que a lei é a incerteza e a impermanência.

A filosofia budista fala da roda de *Samsara*, um ciclo interminável de nascimentos e mortes durante as nossas encarnações nesse plano. E só é possível escapar desse ciclo pelo despertar do nosso verdadeiro Ser. As escrituras védicas chamam esse despertar de *samadhi* e os budistas, de *nirvana*. São estados de consciência de Unidade, onde não há mais separação, nos permitindo a fusão ao Universo, estando nós encarnados ou não.

Assim, a atenção para a nossa vida interior é fundamental para alcançarmos estados mais elevados de consciência. Se deixarmos os acontecimentos externos nos afetarem, estaremos presos a uma ilusão criada pelos nossos pensamentos. Consequentemente, sofreremos, porque é impossível agradar a todos, acertar sempre e ser reconhecido pelos outros. E isso causa muita dor ao nosso "falso eu", que é uma das manifestações do ego.

O mantra *So'Ham* (Eu Sou Isso) nos lembra de quem somos realmente. Ele permite acessarmos o nosso verdadeiro Eu, que está livre das amarras dos julgamentos alheios. Conscientes do Eu Sou Isso estaremos além do jogo de personalidades, disputando para ver qual delas é a mais importante no julgamento humano.

Por outro lado, o nosso silêncio interior está livre das interferências ruidosas do mundo externo. É para lá que devemos treinar ir quando necessário. Medite sobre o silêncio, tente ver onde ele está. O simples fato de você colocar sua atenção no silêncio desencadeará um processo que em algum momento irá revelar a sua verdadeira natureza. Mas a busca é interna, porque no mundo exterior o silêncio inexiste. Mesmo que você um dia vá para um lugar absolutamente sem sons, a sua mente se encarregará de fazer os ruídos que lhe trarão perturbações.

Devemos educar a nossa mente para reconhecer o silêncio, mesmo onde aparentemente ele não existe. Porque, se ela continua desgovernada, jamais vai nos permitir contemplar o silêncio. Para educar a nossa mente, devemos começar eliminando os julgamentos gerados pela dualidade. Essa não é uma tarefa simples, mas é possível de ser realizada por meio da nossa *sadhana*.

Julgar é um vício que nos afasta de nós mesmos, porque o julgamento é sempre externo. Dentro de nós reina a Unidade, a paz e o silêncio. Então, para haver uma verdadeira evolução na nossa jornada existencial, é preciso, aos poucos, ir isolando a influência dos acontecimentos externos na nossa vida. Isso significa treinar a mente para as nossas verdadeiras necessidades.

Neste ponto há um detalhe muito importante a ser refletido. Realmente precisamos da nossa mente para vivermos neste plano de dualidade. Mas não podemos deixá-la dominar todos os nossos canais de percepção do visível e do invisível. E é, sim, possível aliar a nossa mente para alcançarmos propósitos mais elevados.

Não é preciso guerrear contra a mente, mas domesticá-la. Se, gradativamente, vamos deixando de dar importância aos nossos pensamentos desconectados do nosso Ser, certamente, conseguiremos avançar.

Afinal, pensamentos são como as nuvens passageiras no céu que se transformam a todo o instante. E estão destinadas a desaparecer.

Não queira ser a vítima

Quem já não ouviu a expressão "não se faça de vítima"? A sabedoria popular é pura intuição do que acontece no inconsciente coletivo e tem muito a nos ensinar. Fazer-se de vítima é apenas mais uma fuga que alguns encontram para não encarar os problemas que surgem durante o processo existencial. Colocando-se nessa posição, a pessoa transfere a responsabilidade dos próprios sofrimentos para os seus algozes. Mas, na realidade isso não é possível. Por mais injustiçado que alguém seja, sempre terá responsabilidade pelo que está acontecendo. É importante ter essa consciência para que esse padrão não fique se repetindo eternamente.

A vida cotidiana nos leva a encruzilhadas desafiadoras. Não sabemos nesses momentos os caminhos a escolher para seguirmos a nossa jornada. A dúvida se instaura em nossos pensamentos nos deixando sem ação. Em vez de escolhermos uma direção e pagarmos o preço por essa aposta, a opção mais usual de muitas pessoas é a procrastinação. Ou seja, permanecer imóvel diante da situação, sem tomar nenhuma atitude, numa espécie de prisão forjada pelas dúvidas.

É verdade que em muitas linhas védicas de conhecimento a "não ação" tem um grande valor em determinados momentos. Mas isso é muito diferente da procrastinação. Mesmo porque a "não ação" consciente não deixa de ser uma ação. Já procrastinar significa permanecer paralisado sofrendo diante de uma situação desconfortável, tomado por pensamentos negativos e, sobretudo, pelo medo de tomar uma decisão.

Esse quadro de paralisação diante das dificuldades da vida é que cria a vítima, e está diretamente relacionado com a incerteza do futuro e as projeções de algo que ainda não aconteceu. A pessoa pensa: "se eu tomar essa decisão irá acontecer isso, aquilo ou aquilo outro". E, normalmente, essas fantasias em relação ao futuro são, na maioria das vezes, negativas. Assim, a pessoa abre mão de decidir inspirada pelo livre-arbítrio, permanece paralisada e se transforma numa vítima das circunstâncias.

Essas projeções negativas de futuro geram sofrimentos enormes. A tendência são as coisas realmente não saírem exatamente da maneira como esperamos, porque os nossos desejos de tudo "sair do jeito que a gente quer" são um limite para o fluxo natural da vida. Esse desejo de "tudo sair como queremos" está relacionado diretamente à incessante ação do nosso ego perfeccionista ou ao vício do pensar descontroladamente.

Assim, quando não somos atendidos nos nossos desejos de perfeição, processos de descontentamento, frustração e sofrimento são desencadeados no nosso inconsciente, nos arrastando para uma lama angustiante que turva a conexão com o nosso verdadeiro Ser. A consciência fica enfeitiçada e imobilizada por sentimentos que não controlamos, e a nossa vítima emerge do campo psíquico causando muita dor. Doenças são geradas pela nossa insatisfação, que nada mais é que a ignorância sobre nós mesmos, e acabam nos transformando em vítimas reais.

Para escaparmos do vitimismo, temos que entender a nossa existência como uma Unidade, porque tudo no universo está interligado. O bom funcionamento do nosso corpo está atrelado diretamente ao conhecimento e ao controle da nossa mente. Por sua vez, a nossa mente tem ligações com os aspectos espirituais do nosso existir. Portanto, trilhar o caminho do autoconhecimento significa aprender sobre o corpo, a mente e o espírito. Estas coisas estão unidas e são inseparáveis. A Unidade é essencial para podermos nos realizar.

Quando a sua mente estiver lhe arrastando para o autovitimismo, saiba que trata-se de uma armadilha. Enfrente esses estados psíquicos turvos, as adversidades da vida e as tentações da acomodação ao sofrimento, despertando a sua intuição, que fortalecerá o discernimento dentro de você. Procure olhar para dentro de si e se ouvir. Tenha certeza de que a sabedoria intuitiva irá se manifestar em algum momento e você conseguirá escapar dessa armadilha. Realmente, não queira ser a vítima, porque esse é o pior papel do nosso filme existencial.

Ressoando os nossos sinos interiores

Devemos estar sempre atentos à nossa intuição. Nos mosteiros zen budistas, os sinos soam várias vezes ao dia para nos lembrar de fixarmo-nos no presente. Quando vamos a um templo de alguma divindade védica, também tocamos o sino na entrada para lembrarmos que fomos ali para rezar, meditar e olhar para dentro de nós. Estar no aqui e agora nos liberta da escravidão mental do passado e do futuro, porque é só no presente que a vida acontece.

Devemos observar as pistas sobre a percepção da intuição e o uso que podemos fazer dela para vivermos melhor. Não existe uma verdade definitiva sobre esse assunto; se houvesse, não seria intuição.

É importante saber diferenciar a intuição de outros fenômenos que ocorrem mentalmente no processo de autoconhecimento. Muitas vezes desejamos intensamente alguma coisa. Assim, é possível que usemos uma falsa intuição para justificar uma escolha que, se tiver origem num desejo, certamente não será intuição, porque ela sempre se manifesta de maneira espontânea e natural. Há que se ter cuidado com a manipulação da nossa mente que cria conceitos e "verdades" para justificar os nossos erros e fracassos.

A intuição é algo imprevisível, e podemos sim ser levados a um erro por ela. Talvez porque precisemos cometê-lo para aprendermos. Sempre me lembro de uma parábola contada por Gurumayi Chidvilasanand que mostra que um erro também pode nos libertar de uma situação destrutiva e despertar a nossa intuição à verdade.

Um certo Rei era aficionado por caçadas na Índia e costumava levar consigo um verdadeiro séquito de vassalos e soldados para protegê-lo. O Rei adentrava profundamente nas florestas por dias para conseguir caçar animais raros. Numa dessas caçadas, um tigre rompeu a sua proteção e arrancou-lhe um pedaço da orelha, e em seguida o animal foi morto pelos soldados. Mesmo tendo escapado da morte certa, o Rei culpou os seus vassalos e soldados pela perda de parte de sua orelha.

Raivoso, o Rei prometeu que assim que voltassem ao palácio iria punir todos os seus vassalos por terem deixado o tigre arrancar a sua orelha. Acontece que, mais à frente na floresta, um grupo de guerreiros de um povo primitivo conseguiu atacar a expedição matando muitos soldados e prendendo o Rei. O xamã daquele povo costumava sacrificar aos deuses os chefes dos seus inimigos. Assim, o Rei seria morto ritualisticamente. Mas quando o xamã começou a preparar a vítima para ser imolada, percebeu que faltava um pedaço da orelha do Rei e que o sacrifício de um ser imperfeito poderia despertar a fúria dos deuses. Assim resolveram libertar o Rei, que escapou pela segunda vez da morte graças à falha dos seus protetores.

Então é difícil saber o que é realmente um erro ou uma falha. Obviamente que ninguém quer errar. A projeção da perfeição é uma constante na vida das pessoas no mundo atual. Mas é preciso entender que essa busca da "perfeição" nada mais é do que uma escravidão a algo inalcançável no plano material. Sempre haverá alguma coisa no contexto de uma pessoa que a impedirá de chegar à perfeição total.

Paradoxalmente, a perfeição precisa da imperfeição para existir. As duas coisas são diferentes faces da mesma moeda. Um dia é composto por dois períodos, o diurno e o noturno. Se queremos ter um dia completo não é possível que haja só noite ou só dia. Quem nunca sentiu dor não saberá verdadeiramente o que é prazer e vice-versa. E indo mais adiante, não é possível haver nascimento sem a morte. Assim como não há perfeição sem a imperfeição.

CAPÍTULO II

A mediunidade intuitiva

A mediunidade é a percepção daquilo que não depende de um corpo para existir.

Um aspecto importante a ser percebido na jornada do autoconhecimento é a mediunidade. Obviamente que não entendo esse atributo como os manuais espíritas kardecistas, pelos quais tenho o maior respeito. Mesmo porque, no meu entender, não existem regras para a manifestação da mediunidade. Acredito, inclusive, que a mediunidade é um atributo presente em todos os seres humanos estejam eles conscientes ou não dessa faculdade. Não é algo fenomenológico como alguns podem pensar, mas uma coisa que faz parte da nossa vida.

Ser um médium é simplesmente ser um "meio" entre este plano e as formas sutis de existência. Poderia dizer também que um médium é uma mídia espiritual trazendo e levando informações para a evolução dos seres. Portanto, criar fantasias sobre a mediunidade é um erro tremendo. Não existe nada de anormal e nem de sobrenatural em exercer os dons mediúnicos durante a nossa encarnação.

A mediunidade e a intuição estão profundamente entrelaçadas. Não existe mediunidade se nossa intuição não estiver ativa. Mais do que duas palavras, intuição e mediunidade são dois conceitos que podem abrir caminhos essenciais para aproveitarmos melhor a oportunidade de estarmos encarnados neste mundo.

Existe uma referência simples e ao mesmo tempo verdadeira para entendermos a mediunidade. Num texto sobre os preceitos de Padmasambhava, um mestre antigo do budismo tibetano, são explicadas as limitações de quem vive encarnado neste mundo de aparências e formas externas determinadas pelos nossos sentidos.

Segundo Padmasambhava, percebemos apenas um por cento do que está acontecendo e ignoramos os outros noventa e nove por cento que ainda não descobrimos. Nós nos fixamos nas aparências que são captadas pelos nossos sentidos e acreditamos que só aquilo que vemos com os olhos, tocamos com as mãos, sentimos o gosto com a língua e o odor com as nossas narinas são existentes. Coisas que a nossa mente pode traduzir como gosto ou aversão parecem ser reais à nossa percepção.

Mas existe um universo ilimitado de conhecimentos e percepções que estão muito além dos nossos sentidos e julgamentos mentais. Não é porque não estamos vendo com os olhos físicos que "alguma coisa" não existe. Há uma infinidade de "coisas" que se sobrepõem à nossa realidade racional e que atuam sobre nós causando interferência na nossa vida. Por exemplo, olhamos para um céu carregado de nuvens chuvosas e julgamos tratar-se de um céu cinzento. Mas se pegarmos um avião e atravessarmos aquelas nuvens carregadas encontraremos um céu completamente azul. Então por que não olhar para o céu cinzento com a certeza de que mais ao alto ele está completamente azul?

Desenvolver a nossa mediunidade é importante para percebermos exatamente "as coisas" que acontecem além da percepção dos sentidos e da mente. A mediunidade nos permite ver e sentir o que está invisível aos nossos olhos e aos nossos julgamentos mentais de real e irreal, existente e inexistente.

Pela mediunidade intuitiva podemos acessar um novo universo de conhecimentos que podem dar um novo sentido à nossa vida. Assim poderemos romper limitações que nos prendem ao jogo da dualidade para darmos passos mais largos na nossa jornada de autoconhecimento; quem sabe até acessando novos estados de consciência que nos tornem mais livres. Esse é um caminho que poderá nos livrar de muitos sofrimentos desnecessários durante a nossa encarnação.

A percepção natural da mediunidade

A mediunidade começa a se despertar quando um *jiva* tem lampejos da sua real conexão com o Ser. É um processo de dentro para fora e não ao contrário, como alguns pensam. Quando se está em estado meditativo é possível perceber outras formas sutis de existência. Aquilo que as pessoas chamam de espíritos ou almas são, na verdade, *jivas* que estão em outros estados além da matéria. Alguns fluindo com a existência na eternidade, e outros sofrendo por ainda se identificarem com o corpo, a personalidade e os desejos do ego que os aprisionam a este plano.

A mediunidade, portanto, é uma das expressões do nosso verdadeiro Ser. Percebendo esse estado mediúnico, todas as coisas se tornam Uma. Não há mais separação, a Unidade se manifesta, e assim é possível captar a frequência de outros seres que, na verdade, fazem parte de nós mesmos. A separação da matéria corporal é uma ilusão (*maya*) forjada pelos pensamentos manipulados constantemente pela nossa mente. Toda a existência é gerada na fonte da Criação Eterna na qual estamos integrados desde a nossa origem. Abandonando o nosso corpo voltamos integralmente para essa Fonte e poderemos reencarnar num outro corpo ou seguir a jornada cósmica além das formas corporais, dependendo da evolução de cada um.

Nesse sentido, o estado do *jiva* encarnado ou desencarnado, num plano mais elevado de entendimento, é o mesmo. A existência não depende do invólucro do corpo. O Ser permanece na sua jornada existencial além dos limites da materialidade corporal. E mesmo assim ainda pode atuar na realidade do mundo dos encarnados de diversas maneiras. Seres evoluídos, mesmo fora da matéria, podem promover a inspiração e o despertar para diferentes estados de consciência e operar curas espirituais libertadoras.

No entanto, existem também seres que não conseguiram alcançar o autoconhecimento e continuam a sofrer as dores da existência mental e corporal mesmo depois de desencarnados. Acreditam ser indivíduos com um corpo, uma mente e uma biografia relacionada à sua história de vida no plano material. Permanecem com essa consciência limitada mesmo depois de terem abandonado os seus corpos. E eles também podem atuar no nosso plano material, mas influenciando negativamente os encarnados suscitando dúvidas, descrenças e, consequentemente, gerando doenças e sofrimentos.

Nesse caso, o médium ao perceber a presença desses seres sofredores, ignorantes ou zombeteiros, pode ajudar a despertá-los. É aquilo que algumas linhas espíritas chamam de doutrinação. Em vez de acreditar nos reclamos que eles manifestam por meio dos nossos pensamentos e, algumas vezes do nosso próprio corpo físico, é aconselhável dialogar com esses espíritos. Mostrar a eles que estão vibrando numa energia de sofrimento que não existe mais. Alertá-los sobre o apego e a identificação com o corpo, a mente e a personalidade que já se dissolveram com o desencarne, mas que continuam a gerar uma agonia sem fim.

Uma vez conversando com o Padrinho Alfredo Gregório, que é um mestre na linha do Santo Daime, ele me disse que não adianta expulsar o "diabo" de volta para o inferno, porque em algum momento ele voltará para nos atormentar. É preciso convencê-lo, inclusive, que ele não é um "diabo", mas um ser divino que se enredou nas trevas da ignorância por falta de conhecimento da verdadeira realidade. Porque um "diabo" nada mais é que um ignorante da sua verdadeira natureza Divina.

O trabalho de doutrinação dos seres desencarnados é para a dissolução da personalidade. O corpo que morreu irá se decompor pela ação da natureza e não há nada que se possa fazer. No entanto, a personalidade construída no plano psíquico pode continuar a existir, mesmo sem um corpo, se nela houver apego às conquistas materiais. E esse apego não está apenas relacionado ao dinheiro, propriedades e outros bens conquistados. Pode ser um apego à própria biografia representada pelas conquistas imateriais que forjam a personalidade como fama, reputação, admiração dos outros, vaidade por se imaginar alguém importante etc.

Então esse ser que desencarnou ainda está preso ao que pensava ser, encantado por uma grande ilusão. Doutrinar significa mostrar caminhos para que esse espírito se liberte da sua biografia e da sua personalidade, que depois da morte não existem mais. Elas, na verdade, são fardos que irão atrapalhar a sua jornada na eternidade. A doutrinação é ensinar por meio dos nossos pensamentos e vibrações direcionadas aos irmãos desencarnados a se tornarem livres na jornada existencial.

Vou descrever uma situação que vivi durante uma visita ao túmulo do Mestre Raimundo Irineu Serra, no Alto Santo, em Rio Branco (AC). Desde que estive na Índia, entendi que os locais onde grandes seres estão sepultados possuem uma aura vibracional luminosa que facilita a nossa meditação e o contato com realidades paralelas. Na cultura védica, eles chamam de templos de *Mahasamadhi*, ou seja, lugares onde seres que alcançaram a consciência suprema do Ser deram os seus últimos suspiros no corpo para, posteriormente, seguirem despertos pelas sendas da eternidade.

No caminho da minha casa, em Rio Branco, até o Templo Mahasamadhi do Mestre Irineu há um cemitério. Ao passar por ali, nesse dia, observei que acontecia um sepultamento. Segui meu trajeto, e quando eu estava meditando no Templo do Mestre tive a visão de um espírito desesperado dentro de um caixão. Então comecei a receber uma instrução por via mediúnica, que acredito ter sido do próprio Mestre Irineu, de como ajudar um espírito recém-desencarnado a se libertar das amarras do corpo para continuar sua trajetória espiritual.

Se for estabelecido o contato com o espírito é preciso que o médium converse com ele mentalmente. Explicando que ele já não habita aquele corpo prestes a ser sepultado. Simultaneamente o médium deve projetar imagens no plano mental de potências da natureza que existem além dos limites da morte. Então poderá induzir a visualização daquele espírito ao sol, às nuvens, ao céu, ao vento, às estrelas, à lua. Qualquer elemento que seja perpétuo. E ainda com a linguagem mental ensiná-lo que é necessário abandonar aquele corpo para libertar-se. Conscientizá-lo da mudança do estado corporal para o espiritual e que não é preciso ter medo para seguir, porque todos os lugares são um só dentro do Universo.

Existe uma sabedoria oriental que diz que um rio sempre teme quando vai se aproximando do oceano, que é o seu destino final. A fusão com as águas do oceano causa medo ao rio, porque ele perderá sua identidade. O rio não percebe que o oceano é muito mais abrangente do que ele. Então, qual o problema de deixar de ser rio para se tornar o próprio oceano? Esse é um conhecimento que pode ser projetado para um espírito desencarnado em processo de transformação para despertá-lo à conformação, e portanto, ajudar na sua liberação.

Para fazer esse contato mediúnico com seres desencarnados de maneira segura é só o médium permanecer conectado à sua respiração consciente enquanto estabelecido no momento presente. Estando desperto no aqui e agora, as portas da eternidade são abertas e as fronteiras entre o material e o imaterial desaparecem. Isso irá se refletir naquela pessoa que está partindo e que ainda poderá escutar os nossos pensamentos direcionados a ela.

O Mestre Irineu recebeu um hino, um pouco antes de se desencarnar, que fala desse processo de desencarne consciente. Um dos seus versos diz: "...alguém fala em meu nome em pensamento". Isso quer dizer que mesmo depois de ter abandonado o corpo é possível ao indivíduo ouvir determinados pensamentos dirigidos a ele.

O milenar Bardo Thodol, também conhecido como Livro Tibetano dos Mortos, ensina a fazer orações no ouvido de um recém-falecido para guiá-lo de maneira segura pelos caminhos do Astral para que não se perca em armadilhas criadas por seres sombrios apegados à ignorância, à escuridão e ao sofrimento.

A mediunidade é a percepção da vida além dos limites da morte

Somos educados para cultivarmos o corpo e a nossa personalidade. Desde a infância, passando pela fase escolar, a universidade e a vida profissional este ensinamento é enraizado em nossa mente. Assim, somos estimulados a construir uma biografia de vencedores que possa orgulhar os nossos pais, os nossos filhos, os nossos amigos, a nós mesmos e os outros de maneira geral. Temos que ser melhores do que os outros para recebermos o reconhecimento como prêmio.

Na maioria das vezes esse processo exige dedicação e sacrifícios. E o final dessa jornada tem apenas duas possibilidades: alcançar o sucesso ou fracassar. Mas existe algo que se iguala nas duas alternativas: a insuficiência. Alcançando o sucesso ou fracassando ninguém consegue superar a morte corporal. Essa realidade imutável no plano material acabará frustrando tanto os bem-sucedidos quanto os fracassados, porque, no inconsciente, aqueles que almejam a fama e a riqueza acreditam que por meio delas poderão vencer a morte.

Então muitos pensam "para quê tanta dedicação e esforços se tudo irá terminar da mesma maneira?" Aí é que as experiências mediúnicas podem nos ajudar. Se temos a percepção da vida além dos limites da morte não vamos nos preocupar com o fim, porque ele não existe. O nosso verdadeiro Ser sempre esteve aqui e continuará estando, mesmo quando o nosso corpo e a nossa personalidade deixarem de existir.

É interessante lembrar a intuitiva trajetória de Ramana Maharshi para alcançar o estado desperto permanentemente que o tornou um dos mais conhecidos santos yogues da Índia. Ele era uma pessoa comum, um aluno medíocre nos seus estudos que se interessava muito mais pelas práticas esportivas do que pelos livros. Não tinha nenhum dom que pudesse sugerir que iria ser tornar um grande mestre com milhares de seguidores mesmo depois da sua morte.

Ramana era um adolescente típico do sul da Índia. A sua vida apontava como destino certo um casamento, filhos e, quem sabe com sorte, um emprego público para manter a sua família. Mas um dia, do nada, sem nenhuma conexão mística/espiritual, sem nenhum mestre a guiá-lo ou conhecimento das escrituras sagradas, o jovem Ramana viveu uma experiência que mudou radicalmente o seu destino.

Ramana simplesmente deitou-se no chão do seu quarto e simulou estar morto. Cessou a respiração, imaginou o seu coração parando e se deixou levar. Essa experiência causou uma revolução profunda na sua vida. Desfechou um processo que conduziu Ramana para um estado de consciência totalmente novo, desapegado de qualquer referência e comportamento esperado pela comunidade onde ele vivia.

Simulando a morte, Ramana *Maharishi* encontrou-se com a vida em sua plenitude. "O corpo morre, mas o espírito que o transcende não pode ser tocado pela morte", afirmou o santo yogue depois da sua experiência. O entendimento de que não há nada a perder nos faz ganhar o universo. Se nos desapegarmos de todas as aparências e conceitos externos que nos induzem a acreditar num mundo inexistente, conseguiremos encontrar a vida verdadeira.

Nas palavras de Jesus: "Pois aquele que quiser salvar a sua vida, perdê-la-á, mas quem perder a sua vida por amor de mim, achá-la-á". (Mateus 16:25)

Somos fantasmas que andam

Os mitos sobre fantasmas existem em praticamente todas as culturas humanas. E eu não vou dizer que fantasmas não existem, mas que os fantasmas somos nós mesmos. E o porquê dessa minha afirmação?

No imaginário popular, os fantasmas são conhecidos também como "almas penadas" que no seu sofrimento pós-corpo acabam interferindo na vida dos seres ainda encarnados. São inúmeros os depoimentos de pessoas que de alguma maneira tiveram algum tipo de contato com "almas penadas" ou fantasmas. E isso está longe de ser apenas uma invenção provocada pela imaginação humana. Os fantasmas realmente existem. E o que são fantasmas? Seres humanos que viveram a experiência da encarnação e desenvolveram um forte apego à própria personalidade. Quando desencarnam não conseguem se libertar da mente e continuam a pensar como se estivessem ainda encarnados. E esse pensar está relacionado aos desejos e às necessidades do corpo.

Esses seres podem também estar presos a alguma culpa que não foi resolvida durante o período da encarnação. Por isso a expressão "alma penada". "Pena" é a punição por algum crime cometido à espera da sua expiação.

Normalmente essas "almas penadas" viveram atormentadas num corpo, e depois de perdê-lo continuam se enxergando na mesma forma corporal. Não conseguem se libertar do ego sedimentado pela biografia construída durante o tempo de encarnação e negam a transformação pela qual passaram com a morte do corpo. Como a existência não termina com a morte, esses fantasmas acabam emanando energias saturadas de sofrimento, dor e tormento que realmente podem atuar neste plano existencial e afetar as pessoas.

Todos nós, num certo aspecto, somos fantasmas. Temos um corpo habitado por uma alma ou um espírito. Quando "aquilo" que está contido no nosso corpo se liberta, entramos numa outra dimensão de existência, mas não deixamos de existir. A nossa consciência continuará ativa mesmo se não estivermos mais dentro de um corpo. E se essa consciência estiver presa a uma culpa, haverá um tempo para essa ilusão das ações praticadas durante a encarnação se dissolver.

O amor e o perdão direcionados para essas "almas penadas", espíritos sofredores ou fantasmas são valiosos para ajudá-los a se conscientizarem das transmutações pelas quais passaram nos seus processos evolutivos. Vivi uma situação que pode ilustrar o que estou falando.

Muito tempo atrás, quando eu morava no Rio de Janeiro, fui procurado por uma jovem que se dizia perseguida pelo fantasma de um ex-namorado recém-desencarnado, por um suicídio. A moça tinha sonhos recorrentes com o rapaz ameaçando-a e prometendo vingança contra ela. Segundo a sua narrativa, chegou a sentir muitas vezes as mãos do ex-namorado apertando o seu pescoço para enforcá-la. Ela acordava desses pesadelos gritando e desesperada com a sensação de sufocamento.

Isso começou a afetar sua vida. Ela havia terminado o relacionamento com o rapaz alguns meses antes de ele desencarnar e tinha um outro namorado. As ameaças começaram ainda com o seu "ex" encarnado que não aceitava o seu novo relacionamento. O rapaz havia desenvolvido um sentimento de posse. Eles haviam tido um relacionamento abusivo repleto de agressões físicas e psicológicas contra ela, o que a fez romper.

Quando o rapaz se suicidou, a moça pensava estar livre. Mas aí começaram os pesadelos que trouxeram muito sofrimento e medo à sua vida. Atendendo ao seu pedido de ajuda eu disse que tentaria fazer algo para aliviar aquela agonia. Por aqueles dias eu teria um trabalho mediúnico no Céu da Montanha que seria conduzido por um médium experiente, o Padrinho Waldete, filho do Padrinho Sebastião.

Vi nessa ocasião a oportunidade para tentar ajudar essa moça que me procurara. Entrei no trabalho tranquilo, e num determinado momento pude visualizar o "espírito sofredor" daquele suicida. Ele era realmente muito jovem e estava ao lado da gaveta onde seu corpo havia sido colocado no Cemitério São João Batista, no Rio de Janeiro. À sua volta uma legião de espíritos obscuros completava uma das mirações mais horripilantes que já tive na minha vida.

Confesso que essa visão me provocou muito medo, mas fixei toda a minha atenção na mesa luminosa do trabalho espírita que transcorria no Céu da Montanha. Pedi proteção aos meus Guias para ajudar aquela alma sofrendo ao ver o seu corpo se decompondo dentro de um caixão. Aos poucos a luz que se desprendia do meu corpo astral, inspirada pelos cantos e a força regeneradora do Daime que eu havia consagrado, foram acalmando aquele espírito desesperado.

Abriu-se um diálogo e pude mostrar a esse espírito suicida, por meio dos meus pensamentos, que ele não mais habitava aquele corpo que se decompunha pela ação natural do tempo. As invocações que eu fazia firmado em seres sublimes de pura luz começaram a iluminar o espírito do rapaz que depois de um tempo simplesmente desapareceu da minha percepção mediúnica por ter encontrado os seus caminhos na eternidade pela doutrinação espírita.

Quando o trabalho terminou, lembro-me que fiz uma caminhada no escuro da madrugada para a casa em que eu estava hospedado naquelas montanhas da Mantiqueira. Uma luz radiante emanava do meu corpo, iluminando os meus passos nas trilhas por onde eu andava. Nem precisei usar uma lanterna, porque aquela luz já era suficiente para me guiar. Uma prova de que quando mergulhamos fundo no serviço da caridade mediúnica com o propósito de iluminar outros seres, recebemos de volta naturalmente muito mais iluminação do que aquela que emanamos.

Para concluir este caso, uns dias depois conversei com a moça assombrada pela "alma penada" do seu ex-namorado. Ela então contou-me que os pesadelos tinham cessado e que se sentia livre para continuar sua vida com o seu novo namorado, os estudos e o trabalho.

Guias que curam o Corpo e a Alma

Passei por uma situação extrema que pode ilustrar na prática o uso dos conhecimentos mediúnicos e o porquê devemos levá-los a sério. Eu estava morando em Cruzeiro do Sul (AC), andava estressado com a minha profissão e comecei a sentir fortes dores na coluna. Só me dei conta da gravidade da situação quando não conseguia mais me sentar na postura de lótus para meditar.

Conversei com uma médica amiga que me receitou algumas injeções. Mesmo depois de aplicá-las, as dores não passaram e a minha situação foi se complicando. Numa tarde fui ao hospital para fazer uma radiografia, e o médico que me atendeu constatou um desencaixe na minha coluna. Para acalmar as dores me receitou um remédio tarja preta à base de opioides.

Confesso que como eu já tinha tido havia muitos anos uma experiência com heroína, a forma mais concentrada do ópio, achei interessante usar aquela substância para aliviar a dor. Pensei que ganharia de bônus uma "viagem" como compensação por tantas dores que tinha sentido naqueles dias.

Tomei a primeira pílula e realmente tive um relaxamento quase que imediato e adormeci. Acordei algumas horas depois e resolvi tomar mais uma dose. Voltei a dormir profundamente. Não sei quanto tempo depois, acordei, ainda de madrugada, me sentindo muito mal. Sentia enjoo, náuseas, dificuldade para respirar e o coração disparado. Um verdadeiro pesadelo. Pensei: "pronto, chegou a minha hora". Nesse momento ouvi no meu canal mediúnico uma voz que me disse: "passa um rapé".

Fui para o banheiro com dificuldade, quase me arrastando, passei uma quantidade boa de um rapé que ganhei de um pajé indígena e me sentei embaixo da água do chuveiro. Houve um momento em que a situação ficou tão feia, que comecei a pedir para fazer logo a "passagem" para me livrar daquele sofrimento. Fiquei ali respirando com dificuldade e tentando me segurar.

Aí o milagre aconteceu e comecei a vomitar. Sentia uma limpeza enorme se processando no meu aparelho físico. Eu conseguia ver aquela química do opioide sendo rastreada e eliminada de cada cantinho do meu corpo. A minha respiração foi retornando à normalidade e consegui me estabilizar numa postura de yoga embaixo da água do chuveiro.

Então aquela voz, que acredito ser do meu pajé Assis ou Arumuiá, do povo Katuquina, que já fez sua passagem, retomou o diálogo comigo por meio do meu canal mediúnico.

"Meu filho, te ensinamos tantas coisas e você se deixa levar por uma dor tentando resolvê-la através de uma química que poderia ter te matado. São anos de trabalho através das plantas com o seu aparelho para você prestar o serviço ao qual está destinado. E você seduzido por drogas químicas da medicina. Deixa de ser fraco, rapaz! Descanse um pouco e vá o mais urgente possível se encontrar com o pajé para se tratar de verdade."

Acho que foram mais ou menos estas palavras que eu ouvi. No dia seguinte, fui para a aldeia Puyanawa conversar com o cacique e pajé Joel. Ele assoprou a fumaça de tabaco natural do seu cachimbo em todo o meu corpo, sobretudo, nas minhas costas. Assoprou o rapé em mim e limpou a região onde eu sentia as dores com uma água misturada a ervas. Impossível descrever o alívio que senti.

No dia seguinte retornei à aldeia e participei de um trabalho espiritual com o cacique Joel e toda a comunidade Puyanawa no Cupichwa (templo). Tomei ayahuasca e tive uma sessão muito luminosa. As dores ainda resistiam, mas de uma maneira muito mais suave. Até que um dia, não muito tempo depois, elas simplesmente desapareceram.

Restaram só mesmo as reflexões sobre como a medicina ocidental, que tenta trabalhar para resolver de imediato os nossos problemas físicos, pode nos envenenar com as suas drogas. Esse episódio me lembrou de uma conversa que tinha tido com o Padrinho Alfredo Gregório, muitos anos atrás, em que ele me dizia que as drogas mais perigosas para a humanidade estavam nas prateleiras das farmácias e não na natureza.

Para encerrar essa passagem, alguns anos depois assisti a um trecho de um documentário na HBO que tratava justamente do perigo do uso dos opioides. Aquele que eu tinha tomado estava na lista dos mais perigosos. E o narrador contava que muitos doentes tinham ficado viciados naquela química e outros faleceram devido ao seu uso.

Numa outra ocasião, também sentindo dores nas costas, vivi uma experiência mediúnica por meio de um sonho que me impressionou. As dores já duravam alguns dias e, para falar a verdade, eu estava com medo de ir a um médico para saber do que se tratava. Estava trabalhando muito naquele período e temia que pudesse ser alguma coisa mais séria.

Mas numa noite eu tive um sonho muito real com a Madrinha Peregrina, viúva do Mestre Irineu, que ainda está encarnada. A gente conversava, e não me lembro qual era o assunto. Mas a cena era muito real e não se parecia com um sonho.

Acordei no amanhecer, espantado com aquele sonho. Eu não tenho proximidade com a Madrinha Peregrina que comanda os trabalhos do Centro Espiritual do Alto Santo. Até aquela ocasião nunca tinha participado de uma sessão sob o comando da Madrinha Peregrina, o que veio a acontecer somente anos depois. Então achei estranho sonhar com ela, ainda que não me lembrasse do conteúdo do sonho.

Fiquei refletindo sobre aquele sonho e fazendo as coisas do meu cotidiano ao despertar. Quando me dei conta a dor tinha simplesmente desaparecido. Um tempo depois tive a oportunidade de contar o ocorrido pessoalmente para a Madrinha Peregrina. Ela simplesmente me olhou, sorriu e disse: "é, meu filho, existem muitos mistérios nas maneiras que o Mestre atua na nossa vida".

A cura do Beija-Flor

Conversando com o orador, o jornalista Toinho Alves, do Centro Espiritual do Alto Santo, fundado pelo Mestre Irineu, em Rio Branco

(AC), recebi uma informação que desencadeou algumas lembranças importantes da minha jornada de médium para colocar neste livro. Ele me contava breves passagens sobre a vida de Raimundo Gomes, um dos companheiros do Mestre, que recebeu uma série de cantos mediúnicos na forma de um hinário.

Num determinado ponto da nossa conversa, Toinho disse que Raimundo Gomes tinha recebido um canto sobre Arroxim, uma misteriosa entidade espiritual da floresta, relacionada à cura. Quando perguntei se Arroxim é um caboclo curador, a resposta do meu amigo jornalista me surpreendeu:

"Ele é um pássaro, um beija-flor. O Raimundo Gomes dizia que todos os seres que voam na forma de pássaros e mariposas são espíritos que vêm para curar os seres humanos necessitados."

As palavras do canto de Raimundo Gomes dizem:

"...A linha de Arroxim, é linha de curador, eu curo para servir, com o poder do Criador. Arroxim é um espírito, que vem como beija-flor, chame a nove pontos, que aqui logo eu estou..."

Essa revelação me fez lembrar de algumas manifestações mediúnicas da minha vida. Nos tempos em que eu morava na Comunidade do Céu da Montanha, em Visconde de Mauá (RJ), eu costumava ir a São Paulo para trabalhar. É muito complicado para um jornalista sobreviver financeiramente retirado nas montanhas. Então eu sempre ia para os grandes centros urbanos atrás de trabalhos *freelancer*.

Numa dessas viagens, encontrei uma amiga com quem eu havia trabalhado no jornal *O Estado de S. Paulo*, muitos anos atrás, passando por um momento difícil. A sua filha de dois ou três anos de idade estava internada num hospital com uma doença que os médicos não tinham um diagnóstico preciso. Ela me disse: "Nelson, você que trabalha com essas coisas espirituais bem que poderia tentar ajudar a minha filha".

Compadecido pelo sofrimento da minha amiga, prometi a ela que tentaria ajudar. Me lembro que no momento que proferi aquelas palavras enderecei um pensamento meditativo ao Mestre

Irineu pedindo força para que aquele auxílio com o qual eu me comprometera se realizasse.

Passaram-se uns dias e, ainda estando em São Paulo, fui para uma festa de aniversário de uma amiga de infância. Eram pessoas muito próximas que eu não via havia tempos e acabei bebendo demasiadamente durante a comemoração. Acordei no dia seguinte numa ressaca terrível e recebi um "puxão de orelha" do Astral.

Era sábado e estava programado no Centro do Céu da Montanha um trabalho de banca espírita de cura naquela noite. E eu, anteriormente, tinha projetado que participaria desse trabalho com o propósito de ajudar a criança hospitalizada, filha da minha amiga. Mas além da ressaca, acordei naquela manhã de sábado com uma forte dor de cabeça provocada pelo excesso de álcool. Então pensei em não ir mais para Visconde de Mauá que fica a umas quatro horas de São Paulo. Me sentia totalmente sem condições físicas e menos ainda preparado para um trabalho mediúnico de "banca aberta".

No mesmo momento em que tive esse pensamento de "correr" da sessão, ouvi uma voz no meu canal interior mediúnico cobrando-me com veemência o compromisso que eu havia assumido. Não tinha para onde correr. Levantei-me da cama arrastando-me, tomei um banho e fui para a rodoviária de São Paulo pegar um ônibus na esperança de chegar ao Centro do Céu da Montanha a tempo para o trabalho.

Consegui chegar à comunidade um pouco antes do início da sessão. Pensei que levaria uma "peia certa" por não ter tido a responsabilidade de preparar-me adequadamente para aquele trabalho mediúnico de cura. Mas para honrar meu compromisso assumido no Astral, entrei na sessão.

Convidaram-me para sentar à mesa dos médiuns. Tomamos ayahuasca e começaram os cantos. Eu estava muito concentrado pedindo a todos os meus guias que curassem aquela criança hospitalizada em São Paulo. Nessa altura eu já não sentia o menor resquício da ressaca e estava integralmente entregue ao serviço mediúnico.

Num determinado momento apresentou-se a mim uma entidade espiritual. Era um índio com aparência jovem que pedia para ocupar o meu aparelho (corpo) para realizar a sua cura nos presentes e na menina que estava em São Paulo. Essa história de deixar ocupar o meu aparelho sempre foi muito complicada para mim. Eu tinha receio de que uma entidade mal-intencionada pudesse fazer um uso inadequado do meu corpo físico.

Imediatamente tranquei a passagem para aquele ser que se apresentava na sessão. Nesse momento, uma médium que trabalhava na minha frente começou a se sentir muito mal. Na minha visão era como se o seu corpo estivesse se partindo em vários pedaços. Então a entidade voltou a pedir que eu desse passagem para a sua atuação.

Perguntei diretamente para a entidade quem era e qual o seu nome. Ela não respondeu, mas me disse que se eu desse passagem para a sua atuação espiritual, ela curaria a filha da minha amiga no hospital. E a cada negativa minha a médium na minha frente sacolejava e rodopiava. Até que num certo momento eu disse para a entidade que se ela era realmente poderosa que tomasse o meu aparelho por conta própria. Nesse pensamento eu devo ter dado uma brecha nos meus escudos de proteção e a entidade realmente tomou conta do meu aparelho. O que aconteceu em seguida foi uma das coisas mais lindas da minha vida.

Na verdade, fui um mero expectador naquele momento em que o meu aparelho foi ocupado pela entidade. Eu assistia aos acontecimentos de fora do meu corpo, mas podia sentir a energia regeneradora e poderosa que se manifestava naquele salão por meio daquela atuação espiritual. A entidade trinava alto como um pássaro, usando o meu corpo com um vigor inacreditável. Ao mesmo tempo que aqueles sons se expandiam pelo salão eu podia ver uma série de ondas luminosas atravessando as pessoas, o tempo e o espaço. Acredito que essa atuação deva ter durado entre cinco e dez minutos, mas parecia uma eternidade.

Um silêncio absoluto tomou conta de todos os médiuns presentes na sessão quando a entidade, depois da sua atuação, se retirou. Eu estava ao mesmo tempo espantado e admirado com o que tinha acontecido. Mas sentia uma paz infinita e uma absoluta tranquilidade. Acredito que essa mesma sensação era compartilhada pelos outros médiuns, depois da verdadeira limpeza que aquela entidade promoveu fora e dentro de cada um por meio do seu misterioso trinado de pássaro.

Passei o domingo inteiro descansando depois daquele intenso trabalho. Na segunda-feira, a minha amiga de São Paulo me telefonou. Ela estava muito feliz e me contou que no sábado à noite o médico tinha ido ver a filha dela e ficou totalmente espantado com a melhora repentina da menina. A febre tinha abandonado aquela criança que adquiriu inesperadamente um vigor enorme e começou a conversar e brincar com todos que estavam no seu quarto do hospital.

No domingo, a menina recebeu alta do médico e pôde voltar para casa. Eu perguntei para a minha amiga a que horas a filha dela tinha tido aquela melhora inesperada. A resposta me arrepiou, porque o momento coincidia exatamente com a atuação espiritual daquele índio jovem que ocupou o meu aparelho na sessão do Céu da Montanha.

Esses acontecimentos me fizeram pensar muito. Uns dias depois, o Alex Polari, que nesse tempo morava no Céu do Mapiá, veio fazer uma visita à comunidade de Mauá. Resolvi contar para ele o ocorrido e pedir uma orientação. Lembro-me que estávamos na "Estrela" da comunidade, o lugar onde se faziam os trabalhos de cura.

Num certo ponto da minha narrativa, senti que o Alex estava um pouco descrente no que eu contava. Então eu me concentrei com todas as minhas forças e disse para ele:

"Alex, eu vou chamar essa entidade aqui e agora para você conhecê-la."

Imediatamente começamos a ouvir o som de um pássaro trinando do lado de fora da "Estrela" e nós dois entramos numa meditação profunda.

Uns anos depois desse trabalho, em Mauá, eu já estava morando em Cruzeiro do Sul (AC) e por intermédio do meu amigo jornalista Leandro Altheman havia conhecido o pajé Assis, do povo Katuquina. Tive uma identificação imensa com esse velho sábio que emanava um amor imensurável e fui algumas vezes à sua aldeia para fazer pajelanças sob a sua guia.

Numa noite, a gente estava lá tomando cipó (ayahuasca) junto com o pajé Assis, e na minha concentração pensei que eu queria também ter um cocar daqueles que os pajés estavam usando. Inacreditavelmente uns minutos depois desse pensamento silencioso o pajé Assis se levantou e colocou um cocar na minha cabeça. Mais espantoso ainda era que esse cocar, além das penas, tinha diversos bicos de pássaros. Imediatamente lembrei-me da atuação daquela entidade que trinava com o vigor dos pássaros, anos atrás, no Céu da Montanha.

Mas as minhas experiências com Arroxim, que se manifesta por meio dos pássaros, tiveram ainda mais um episódio. Eu estava morando em Rio Branco (AC) e andava meio afastado dos trabalhos mediúnicos com a ayahuasca. Era uma fase que as minhas atividades de jornalista estavam intensas e ocupavam sobremaneira o meu tempo.

Um dia, às vésperas do Dia da Virgem da Conceição, o meu afilhado Tonho me convidou de maneira insistente para que eu participasse de um trabalho espiritual no Pronto Socorro, o centro espiritual do Padrinho Nonato, que fica em Rio Branco. Os festejos da Virgem da Conceição são uma das datas mais importantes no calendário do Santo Daime e acabei resolvendo acompanhar meu afilhado.

Cantávamos o Hinário "O Cruzeiro do Mestre Irineu", e no intervalo senti minha mediunidade bastante aberta. Um pouco antes de começar a segunda parte do trabalho tomei mais um copo de ayahuasca e aí minha mediunidade escancarou. A respiração se alterou e minha visão foi aberta para além da matéria. Enquanto os músicos se preparavam para reiniciarem o Hinário, saí do salão para olhar o céu e pegar uma força para seguir a jornada.

Dei de frente com uma casinha onde está enterrado o Padrinho Wilson Carneiro, pai do Nonato. Ele foi um importante médium curador do Santo Daime que havia frequentado os trabalhos da Linha de Arroxim, na casa de Raimundo Gomes, no Alto Santo, muitos anos atrás. Quando entrei no túmulo dei de frente com o próprio Padrinho Wilson. Pode parecer inacreditável, mas não somente estava vendo-o como ele começou a conversar comigo e a me passar orientações.

Não me lembro exatamente as suas palavras, mas me disse que eu deveria fazer dois trabalhos com os hinos que ele tinha reunido num Hinário na Linha de Arroxim. Seriam duas sessões, uma no Rio de Janeiro e outra em Visconde de Mauá (RJ). Eram pessoas que estavam precisando de um alento de cura naquele momento, mas o Padrinho Wilson não revelou os nomes. Ele me disse que na hora eu saberia para quem eram os trabalhos e que ele estaria comigo durante as sessões.

Quando eu estava saindo do túmulo do Padrinho Wilson encontrei-me com o Nonato que me deu um largo sorriso e foi dizendo: "O papai está aqui conosco trabalhando. Não precisa ficar espantado". Inacreditável, de alguma maneira o Nonato percebeu o contato que eu tinha tido com o Padrinho Wilson e veio logo confirmar. Firmei o meu ponto para cantar a segunda parte do Hinário do Mestre e foi um dos trabalhos mais luminosos que já fiz na minha vida.

As duas sessões mediúnicas previstas pelo Padrinho Wilson realmente se confirmaram uns dias depois quando fui ao Rio de Janeiro. A primeira com o pai de uma amiga, dentro de um apartamento em Copacabana, que estava passando um momento muito difícil. Acho que ele não acreditou muito naquilo que aconteceu, mas certamente recebeu o toque de cura de Arroxim. O outro foi com um amigo que vinha atravessando um período de luto com a perda da sua filha e que tinha sido muito amigo do Padrinho Wilson. Na casa dele encontrei o Hinário da Linha de Arroxim com os hinos copiados à mão pelo próprio Padrinho Wilson.

Fizemos uma sessão mediúnica na minha casa de Mauá e cantamos os hinos de Arroxim. Nunca vou esquecer, a minha sala com a lareira acesa, uma lua luminosa no céu daquelas montanhas da

Mantiqueira e a mesa onde estávamos fazendo o serviço virou um verdadeiro aeroporto de médiuns conhecidos nossos que já haviam desencarnado se manifestando. Senti a presença da Baixinha, do Lúcio Mortimer, do Glauco e do seu irmão Orlandinho, de quem eu comprei aquela casa.

Num trabalho mediúnico cada um sente de acordo com as suas necessidades e merecimentos. Então não vou entrar em detalhes sobre que aconteceu, mas de algumas coisas tenho certeza: o comando do Padrinho Wilson trabalhando fora do corpo para ajudar as pessoas e de Arroxim na sua infinita misericórdia guiando os seus filhos ao entendimento da verdadeira cura que transcende a matéria corporal.

O canto do amor que desperta a mediunidade

Se tem alguém a quem eu devo muito pela abertura e o entendimento da minha mediunidade, é ao Padrinho Sebastião Mota de Melo. Os meus primeiros contatos com ele foram durante o período em que editei o livro *O Guia da Floresta*, Editora Nova Era/ Record, de Alex Polari. Nesse tempo o Padrinho Sebastião já tinha desencarnado deixando muitos discípulos espalhados pelo Brasil e pelo mundo. Portanto, não o conheci em matéria, o que para mim é irrelevante diante de tantos conhecimentos que recebi do seu espírito luminoso por meio dos seus cantos e das suas palavras, que transcrevi de inúmeras gravações de suas palestras ocasionais aos seus discípulos.

O Padrinho Sebastião começou seus trabalhos mediúnicos antes de conhecer a ayahuasca. Ainda quando morava nos isolados seringais do Baixo Rio Juruá, no Amazonas, nos anos 40 e 50, e recebeu orientações de dois guias espirituais desencarnados: Antônio Jorge e o doutor Bezerra de Menezes. Por intermédio deles o Padrinho Sebastião abria trabalhos espíritas naqueles remotos seringais para ajudar os necessitados de curas materiais e espirituais.

Quando se mudou para Rio Branco (AC), nos anos 60, conheceu o Mestre Irineu, no Alto Santo. Participando de uma sessão de Daime, passou por uma cirurgia espiritual operada no Astral que salvou a sua vida. Sebastião Mota se uniu ao Mestre e foi aprofundando os seus estudos mediúnicos pelos saberes das plantas de poder.

Depois que o Mestre Irineu desencarnou, o Padrinho Sebastião se desligou do Alto Santo e iniciou o seu próprio trabalho mediúnico num sítio retirado da cidade conhecido como Colônia Cinco Mil, onde reuniu um povo sob a sua liderança. De lá seguiu mais para dentro da floresta, primeiro na localidade de Rio do Ouro, próximo a Boca do Acre (AM) e, posteriormente, para um pequeno afluente do Rio Purus, onde fundou o Céu do Mapiá.

O livro *O Guia da Floresta* conta exatamente essa jornada do Padrinho Sebastião para dentro da Floresta Amazônica para realizar o sonho de uma comunidade regida pelos saberes da mediunidade. Tive inúmeros contatos mediúnicos com o Padrinho Sebastião durante a edição desse livro, mas confesso que alguma coisa muito forte ainda me fazia duvidar um pouco daqueles conhecimentos. Assim eu sempre acabava relegando aquelas manifestações à minha imaginação e ao acaso.

Mas uma noite, em Brasília (DF), logo depois do lançamento de *O Guia da Floresta*, numa feira de livros, a presença do Padrinho Sebastião se manifestou de maneira decisiva na minha vida. Lembro-me que o Alex abriria um trabalho espiritual num sítio no Planalto Central para receber a irmandade do Santo Daime do Distrito Federal. Eu já havia resolvido que não iria participar daquela sessão. Tinha em mente uma programação mais mundana, em Brasília, para aquela noite.

Eu estava ainda no pavilhão onde acontecia a feira do livro quando chegaram duas jovens à minha procura. Disseram-me que o Alex havia pedido para virem me buscar para ir ao sítio onde aconteceria o trabalho espiritual. Como eu estava decidido a não ir, dei a desculpa de que a noite prometia ser fria e que teria que passar no hotel para buscar um agasalho e daria um jeito de chegar à sessão, mas na intenção de me desvencilhar daquele compromisso.

Nisso uma das moças tirou uma blusa de lã da bolsa e disse que havia trazido para mim e que todos estavam me esperando para celebrar o bem-sucedido lançamento de *O Guia da Floresta*. Senti que se eu não fosse desagradaria o Alex, a sua esposa, Sônia Palhares, e outras pessoas que haviam colaborado naquela intensa programação de lançamento do livro. Então pensei: "vou encerrar o ciclo da história desse livro e depois vida que segue".

O lugar onde aconteceria o trabalho ficava no cerrado. Muita gente estava lá para participar, e notadamente um grupo ligado a uma sangha do Osho de Brasília. A sessão transcorria dentro da normalidade, mas aquele povo mais liberal das terapias alternativas passava mais tempo fora do salão conversando do que concentrado na sessão. Pensei comigo mesmo que aquela dispersão poderia não terminar bem, como de fato não terminou.

Num determinado momento entrou um forte pé de vento dentro do salão. Imediatamente o Alex atuou como um espírito e começou a falar num idioma estranho. Enquanto as palavras mediúnicas fluíam, a ventania se intensificava e o pessoal que estava fora do salão voltou correndo aos gritos para dentro. Eu percebia tudo sem ter coragem de abrir os olhos, porque a força espiritual que baixou naquele lugar do cerrado era intensa.

Ao mesmo tempo que acontecia essa agitação toda, abriu-se uma miração muito nítida para mim. Eu estava dentro da Floresta Amazônica e via o Padrinho Sebastião construindo uma canoa de madeira numa clareira. Ao perceber minha presença o Velho olhou para mim e me disse:

"Saiba que você é muito bem-vindo aqui. Cumpriu a sua missão de dar vida a essas palavras de pessoas simples da floresta por meio do livro do Alex e você está livre para seguir com sua vida. Fica só a gratidão e o amor do encontro."

Essas foram mais ou menos as palavras do Padrinho Sebastião para mim, mas a essência verdadeira daquele encontro não pode ser traduzida em palavras. Da presença espiritual do Padrinho Sebastião era emanado um amor infinito que contagiava todo o meu Ser. Nunca na minha vida tinha sentido tanto amor vivo dentro de mim emanado por um outro Ser que nem mais na matéria estava. Uma energia regeneradora fluía por todas as moléculas dos meus corpos físico e espiritual acalmando as dores dos meus nascimentos e mortes em muitas encarnações.

O Padrinho Sebastião revelava para mim o verdadeiro sentido da cura das minhas incertezas, apresentando uma verdade que está além da ilusão da matéria. Era como se eu olhasse diretamente para o sol do meio-dia e os meus olhos queimassem com tanta luz de amor. Graças à guia daquele ser humilde da floresta, eu podia enxergar o universo como um todo.

Obviamente que depois de sentir tanto amor vivo não me afastei dos trabalhos mediúnicos com o Santo Daime e um novo caminho se abriu na minha vida.

Esses contatos mediúnicos com o Padrinho Sebastião aconteceram muitas vezes e em diferentes circunstâncias. Mas uma que merece registro aconteceu no Céu do Juruá, no Seringal dos Estorrões, no Amazonas, onde o Padrinho Sebastião viveu grande parte da sua vida e criou seus filhos com a sua esposa, Madrinha Rita Gregório.

Essa história teve início no Rio de Janeiro onde eu frequentava os trabalhos espirituais no Centro Espiritual Virgem da Luz, em Várzea Grande. Ao mesmo tempo, nessa época, eu também estudava Vedanta com a Mestra Glória Arieira, no Vidya Mandir.

Eu estava muito influenciado pelas referências da presença espiritual de Shankara Acharya, um mestre que viveu na Índia, no século VIII. É atribuído a ele a revitalização dos conhecimentos dos Vedas que haviam se perdido na Índia com as diversas ondas de invasões e aculturamento.

A história de Shankara tem muitas semelhanças com as de Jesus e João Batista. A sua mãe já era velha e fez uma promessa ao Senhor Shiva para que pudesse engravidar. E assim foi concebido Shankara, que recebeu um dos nomes de Shiva. Ele percorreu várias aldeias e cidades indianas ensinando a filosofia Advaita da não dualidade da existência. Morreu aos 33 anos tendo produzido uma verdadeira revolução espiritual pela sua breve passagem pela Terra. Shankara é a fonte original de onde foi gerada uma infinidade de mestres e discípulos das escolas de Advaita Vedanta.

Um dia, participando de um trabalho espiritual no Centro Virgem da Luz, tomei uma ayahuasca que abriu uma miração muito forte. Eu estava dentro de uma floresta fechada na qual uma luz esverdeada escura tudo cobria. Ao mesmo tempo eu sentia o fluir da vida de todas as plantas no meu próprio corpo e sentia um vigor e uma clareza imensa no meu olhar sobre todas as coisas.

No final do trabalho, perguntei ao Tadeu, que comandava aquela sessão, de onde tinha vindo aquela ayahuasca tão luminosa. "Do Juruá", ele me respondeu, e essa foi a primeira vez na vida que escutei o nome do lugar onde eu acabaria vivendo muitos anos. Nessa mesma noite, voltando para casa de carona, passamos pela Prainha e havia um estranho luminoso colorido aceso em forma de estrela. Quando fixei essa imagem ainda inspirado por aquela ayahuasca luminosa recebi um canto que batizei de Shankara Juruá:

"Estrela radiante, no Sol iluminou, mostrando a direção para os que seguem São João. De dentro dessa força, trabalhando pela união, eu recebi o meu escudo do Senhor Rei Salomão. O canto da Floresta o meu coração despertou, seguindo no caminho se livrando dos temores. Quem confia está desperto, na luz do nosso Senhor, salve o marulhar das ondas e viva a Mãe Iemanjá. Os mestres do Oriente vieram ensinar, meditando no Ser Divino é que se pode alcançar..."

Um tempo depois, fui convidado pelo Padrinho Alfredo Gregório para acompanhá-lo a uma expedição ao Céu do Juruá, que fica no Seringal dos Estorrões, justamente onde o seu pai, Padrinho Sebastião, viveu e o Alfredo nasceu. Foi uma experiência maravilhosa ter contato com tantas pessoas simples e humildes da floresta naquela rota em direção ao Seringal dos Estorrões. O Padrinho Alfredo é um grande mestre da mediunidade. Estar com ele num lugar isolado dentro da floresta era pura regeneração física e espiritual para mim. E ali o significado do canto Shankara Juruá se revelou.

Eu estava no caminho de São João, uma das possíveis encarnações do Padrinho Sebastião. E o encanto da floresta me despertou das ilusões do mundo moderno consumista me mostrando a verdadeira meta a ser alcançada dentro da espiritualidade. Como Shankara ensinou, só é possível alcançar a fusão definitiva com todo o universo por meio da meditação no nosso Ser Divino.

O Padrinho Sebastião havia me levado por meio da minha intuição pelos sutis caminhos da espiritualidade para conhecer o lugar onde ele iniciou seus trabalhos mediúnicos dentro da floresta. Nos Estorrões eu recebi muitas curas e tive um contato com meu próprio Ser Divino por meio da purificação que a floresta e as plantas de poder me proporcionaram.

Amigos invisíveis

A mediunidade manifestou-se em mim ainda na infância. A minha mãe me contava que quando eu era ainda um bebê costumava acordar de madrugada e ficava de pé no berço olhando para o vazio e interagindo com "seres invisíveis". Quando comecei a andar e falar, tive um "amigo invisível" com quem dialogava, andava de mãos dadas e guardava lugar para ele se sentar comigo à mesa de refeições. Indagado pela minha mãe de quem era aquele "amigo invisível", segundo ela, eu dizia que era o Valdir, um engenheiro de Lins (SP), cidade próxima de Marília (SP), onde nasci.

Como uma criança de dois ou três anos de idade saberia fazer referências tão precisas sobre uma pessoa? Um engenheiro, profissão que eu não deveria nem saber o que era e que morava numa cidade para a qual eu nunca tinha ido. O meu tio Vanderlei, irmão da minha mãe, que sempre foi muito brincalhão, então dizia para mim que esse meu amigo era um "cara feio". Eu contestava dizendo que era bonito e acabava dando mais detalhes sobre ele.

Não é incomum crianças terem "amigos invisíveis". Os psicólogos devem ouvir constantemente relatos de crianças consideradas "problemáticas" que têm relações com os seus "amigos invisíveis". Isso são manifestações evidentes de mediunidade tratadas como imaginação infantil ou até mesmo como distúrbios mentais. Uma ignorância de quem só acredita naquilo que a razão e as evidências materiais podem provar.

A mediunidade, sobretudo, nas crianças é muito mais comum do que podemos imaginar. Mas a sua percepção normalmente é reprimida, porque o senso comum costuma tratá-la como alucinação ou loucura. Isso faz com que durante a transição da fase infantil para a adulta qualquer resquício de mediunidade seja eliminado para não causar "problemas" de personalidade. Mas o fato é que as crianças, por ainda não estarem sobrecarregadas de pensamentos, são mais suscetíveis para terem contato com espíritos de desencarnados e seres iluminados. Não existe nada de anormal nisso se considerarmos a mediunidade como uma faculdade inerente a todos os seres humanos. Isso acontece com frequência, mas quase sempre é entendido como imaginação e não mediunidade.

Também não é incomum que durante a infância haja lembranças vívidas de encarnações anteriores. A questão é que essas manifestações são tratadas de maneira cética e acabam realmente se tornando um problema quando poderiam ser soluções. A finitude da vida num corpo e a extinção da sua personalidade durante uma encarnação são chaves importantes para entendermos a nossa existência. Porque se temos consciência de outras encarnações, podemos trilhar estradas mais amplas para uma verdadeira transformação.

Se alguém sabe que está destruindo o mundo para o qual poderá voltar numa próxima encarnação, irá pensar melhor sobre isso. Um empresário que está explorando os seus empregados poderá mudar a sua atitude, se tiver a consciência de que poderá reencarnar como um trabalhador. Tudo está interligado por fios invisíveis que nos arrastam inexoravelmente para a continuidade de muitas vidas encarnadas nesse plano até que possamos despertar definitivamente a nossa consciência para quem somos realmente. Aquilo que algumas linhas espirituais chamam de iluminação ou a libertação da prisão da roda de *Samsara*, que nos traz sempre de volta para esse mundo.

Manifestações mediúnicas

Durante a minha adolescência mudei de Marília (SP) para São José dos Campos (SP) para estudar num dos mais prestigiados cursos técnicos de eletrônica do país. Depois de dois anos, entrei em crise, porque não me identificava nem com o estudo das ciências exatas e nem com aquilo que imaginava que seria a minha profissão no futuro. Acabei abandonando o colégio e me soltei no mundo. Estive um tempo morando em Santo André (SP) e posteriormente voltei para Marília. Depois de ter experimentado a liberdade de morar sozinho, quando tive que morar de novo com os meus pais, os conflitos familiares foram inevitáveis. A minha mãe sugeriu então que eu passasse um tempo em Bauru (SP) com meus avós maternos para acalmar as coisas e ver que rumo eu tomaria na vida.

Em Bauru, fui muito bem recebido pelo meu avô Antonio e a minha avó Nega, que eram os meus padrinhos de batismo e com quem eu já tinha morado por um período na infância. Mas pairava na família um sentimento de que eu era um "jovem desajustado" que precisava de ajuda. Assim, a minha tia Vandir que estava frequentando um centro espírita kardecista em Bauru resolveu me levar lá para receber um passe. E assim aconteceu.

O médium que me atendeu na sessão conversou com a minha tia e pediu que ela levasse para ele uma roupa minha, porque havia mais para falar sobre mim. A tia Vandir fez isso sem eu ter conhecimento. Uns dias depois ela me chamou na casa dela para uma conversa e me disse mais ou menos o seguinte:

"Nelsinho (que era como me chamavam), o médium me disse que você só terá paz depois que encontrar uma doutrina espiritual que tem a Lua como guia dos ensinamentos. Também que a sua jornada nessa encarnação só se completará depois que você for à Índia. É lá que você vai encontrar aquilo que está procurando, me falou o médium".

Eu deveria ter entre 15 e 16 anos de idade nessa época. Confesso que não levei nem um pouco a sério as palavras do médium para a minha tia e rapidamente esqueci esse episódio. Na verdade, eu atravessava uma fase de extrema rebeldia com tudo e todos. Achava que família, escola, governo, o sistema de vida de maneira geral, eram empecilhos para minha libertação. Eu queria mesmo era cair na estrada e viver a minha liberdade sem dar satisfações a ninguém. Assim, esse episódio do médium de Bauru, que não tenho a menor ideia de quem seja, simplesmente desapareceu das minhas lembranças por muitos anos.

No dia do meu aniversário de 40 anos participei de um trabalho espiritual do Santo Daime, no Céu da Montanha, em Visconde de Mauá (RJ). No fim da sessão, ainda sentindo os efeitos luminosos da ayahuasca, toda essa história que aconteceu em Bauru na minha adolescência voltou de uma maneira muito clara e vívida.

Lembrei-me das palavras do médium e comecei a entender. A doutrina espiritual que tem a Lua como guia é o Santo Daime, que eu já frequentava havia mais de dez anos. O primeiro hino recebido pelo Mestre Raimundo Irineu Serra, criador dessa doutrina que mistura linhas espirituais cristãs, indígenas, africanas e orientais, e que tem a natureza viva como centro de tudo, diz o seguinte:

"Deus te Salve Ó Lua Branca, da luz prateada, Tu sois minha protetora, de Deus Tu sois estimada...Estrela do Universo, que me parece um jardim, assim como sois brilhante, quero que brilhes a mim."

Foi através de uma miração com a Lua que o Mestre Irineu recebeu toda a Doutrina do Santo Daime. Na luminosidade lunar se apresentou ao Mestre uma entidade espiritual feminina que se nominou Clara e que, mais tarde, ele entendeu ser a Virgem da Conceição.

A profecia de que eu deveria peregrinar para a Índia para entender quem eu realmente era, também estava perto de acontecer. Já fazia um bom tempo, naquela época, que eu estudava os conhecimentos shivaístas de Siddha Yoga e também realizava estudos de Vedanta com a professora Glória Arieira. Assim, a Índia estava muito próxima de mim. Mesmo que eu ainda não tivesse ido fisicamente para lá, já navegava em muitos ensinamentos vindos daquela "Terra Sagrada".

Quando fui corporalmente para a Índia, uns anos depois, em frente ao Rio Ganges (*Ganga*), em Rishikesh, lembrei-me novamente das palavras do médium de Bauru sobre a necessidade que eu teria de estar naquele lugar para encontrar a minha paz. Por meio da sua mediunidade ele captou aquilo que venho buscando em várias encarnações, e acertou em cheio.

É como disse Baba Muktananda, no seu livro *Bhagwan Nityananda de Ganesphuri*: "Diversos países se especializaram em determinadas áreas e se sobressaem em certos campos de conhecimento. A especialidade da Índia é a espiritualidade, pela qual se pode alcançar a bem-aventurança do Ser, algo que é imensamente valioso e estimado por todo ser humano. Sem a alegria do Ser, não há paz interna duradoura. Até que se experimente esta paz, o propósito da vida não será cumprido".

Desde que estive na *Ganga* para banhar-me ritualmente nas suas águas sagradas, uma grande transformação se operou em mim. A *Ganga* é uma das deusas mais poderosas da cultura védica, manifestada nas águas do Rio Ganges. Quando a gente se banha nas suas águas com devoção a meditação acontece de maneira natural. É algo espontâneo que transcende qualquer técnica de *yoga*.

E nada na Índia me aproximou tanto do meu Ser Divino quanto os efeitos regeneradores das águas da *Ganga*. Mergulhar nesse Rio Sagrado e depois meditar nas pedras às suas margens é uma experiência reveladora que desperta o amor universal e a consciência do nosso Ser.

Perceber a força espiritual daquelas águas capazes de purificar o corpo, a mente e o nosso espírito teve um efeito profundo na minha existência. A *Ganga* elimina todos os *sanskaras*, as nossas impressões cármicas desta e de outras vidas, nos purificando e nos libertando para seguirmos a nossa jornada existencial mais leves. Eu diria que um banho na *Ganga* é capaz de limpar as "sujeiras" que carregamos de muitas vidas. O fluxo das suas águas é um caminho luminoso para conseguirmos alcançar mais rapidamente a nossa fusão com o Oceano da Eternidade.

Realmente o estudo do sistema védico de conhecimento associado às experiências com plantas de poder aproximou a minha percepção nessa encarnação do meu verdadeiro Ser. Comecei a entender a vida de uma maneira mais ampla, livre de amarras religiosas e filosóficas. A natureza é o centro de tudo, e essa tendência civilizatória de nos afastar dela é um engano que está provocando muito sofrimento aos filhos da Terra.

Então os caminhos que o médium de Bauru profetizou para a minha vida realmente faziam parte do meu destino. E que bom tê-los percorrido! Não acredito que haveria nada mais interessante para fazer durante essa encarnação do que buscar conhecer quem Eu Sou.

Salvo pela mediunidade

Nos anos 80, até o começo dos 90, eu tinha uma vida estritamente urbana. Na minha infância e adolescência alguns fenômenos mediúnicos me despertaram apreensão e incômodo. Entre eles, mantive contato com o irmão de um amigo em Marília (SP), que tinha falecido muito jovem num acidente de moto. Isso provocou uma enorme estranheza na minha turma de amigos, ainda que eu tenha conseguido provar a veracidade das mensagens que recebi por meio de uma série de sinais que todos presenciaram. Começaram a olhar para mim como uma espécie de aberração. Um jovem falando de coisas que não tinham nada a ver com a realidade daqueles tempos de "sexo, droga e *rock and roll*".

Cheguei à conclusão de que a minha mediunidade era um fardo. Às vezes eu estava paquerando uma moça e no processo vinham mensagens e a percepção de coisas íntimas dela ou de sua família, que eu inocentemente acabava revelando para a pretensa amada. Pronto, em vez disso causar admiração, muitas vezes o clima de romance acabava numa choradeira. Comecei a me sentir também como uma "aberração" e a desejar uma vida "normal". Não queria mais ver e nem saber dessas coisas. Desejava namorar, beber, dançar nas festas, assistir a *shows* de *rock* e ser feliz.

A *cannabis* era muito usada por todos da nossa turma de Marília. Mas o seu efeito fazia abrir ainda mais a minha mediunidade, o que me colocava sempre em novas situações delicadas. Quando fui para o Rio de Janeiro estudar jornalismo e cinema comecei a ter acesso a uma realidade bem diferente daquela do interior de São Paulo. Ainda muito jovem naquela época, rapidamente me tornei um jornalista bem-sucedido e acabei trabalhando nos principais veículos de comunicação do país. Nesse processo descobri algumas drogas que faziam exatamente o contrário da *cannabis*, ou seja, inibiam a minha mediunidade. Passei a usar com frequência uma combinação de álcool e cocaína e a me aprofundar naquela *vibe* urbana apocalíptica trocando o dia pela noite e frequentando lugares de energias saturadas.

O resultado dessa minha fuga da mediunidade não foi nada agradável. Emagreci muito, porque não tinha mais apetite para comer e não conseguia dormir direito. O vício foi me levando para um pântano de areias movediças de onde parecia difícil eu conseguir escapar. Mas dentro de mim ainda havia o resquício de uma fé desperta plantada na minha infância, em que fui um católico fervoroso que tinha muita admiração pela figura de Jesus, com quem eu acreditava conversar nas minhas orações.

Uma noite, estando drogado e assombrado pela paranoia e a morte, abri um Evangelho ilustrado que eu tinha ganhado de uma amiga e comecei a ler. Eu estava tão enredado naquela *vibe* obscura, que senti vergonha de rezar e pedir ajuda para um Ser Superior. Mas rezei e implorei a Jesus que me enviasse uma tábua de salvação para aquela vida sem sentido de ressacas intermináveis. Não coloquei muita fé no meu pedido, porque naquela altura eu não me considerava merecedor de nenhuma compaixão.

Mas o fato é que pouco tempo depois fui convidado para trabalhar numa editora e conheci o ex-guerrilheiro e escritor Alex Polari que me procurou para publicar um livro sobre as suas experiências com o Santo Daime. No dia que assinamos o contrato para a publicação do livro *O Guia da Floresta* acabei fumando um pouco de *cannabis* e uma mudança começou a se processar dentro de mim. Senti uma luminosidade interior e um lampejo para me reaproximar das fontes límpidas da natureza que ainda existiam dentro de mim.

Para encurtar a história, uns dias depois fui para as montanhas da Mantiqueira, em Visconde Mauá, com a desculpa de conferir como estava a produção do livro do Alex, que morava lá numa comunidade espiritualista, e acabei tendo a minha primeira experiência com a ayahuasca.

Experimentei de novo o prazer de sentir o vento me tocando, de olhar fixamente para a lua luminosa, de receber o calor dos raios do Sol, de admirar as estrelas e me banhar nas águas dos rios, cachoeiras e mares.

Ali alguma coisa misteriosa começou a operar no meu interior, e como numa escola, continuei a participar das sessões do Santo Daime aprendendo mais e mais a cada aula com a alquimia daquelas duas plantas misteriosas: o Cipó Jagube e a Folha da Rainha, e com os cantos do Santo Daime que despertavam a minha percepção mediúnica.

Enquanto eu passava, ao longo de dois anos, por um processo de limpeza física, a minha mediunidade começou a retornar ainda mais forte. Paralelamente conheci a Siddha Yoga e incorporei a meditação védica nas minhas práticas. O meu trabalho como editor de livros místicos do selo Nova Era, da Editora Record, completava esse ciclo de regeneração, porque eu tinha diariamente contato com vários buscadores trilhando os mais diferentes caminhos espirituais por meio da literatura. Assim comecei a viver uma nova realidade mais voltada para a atenção ao Ser que me habita.

Não vou me alongar nessa narrativa, porque toda essa minha vivência eu conto num livro que escrevi, em 1996, *Shiva Jesus — Peregrinando com o Vento em Busca do Ser*, Editora Gente. O meu objetivo neste tópico é mostrar como a retomada da consciência da minha mediunidade salvou literalmente a minha vida.

Tive, ao longo de alguns anos, uma infinidade de experiências com a ayahuasca e a meditação que foram preparando o meu aparelho físico para a percepção de estados mais elevados de consciência. Passei por um processo de desintoxicação física e psicológica me livrando de pensamentos obscuros por meio das plantas de poder e da atenção à minha respiração que restauraram o meu corpo e o meu espírito. Os meus valores foram mudando, e apesar de ainda viver como um homem comum, não fugi mais da minha mediunidade. Ao contrário, descobri nela uma fonte de conhecimento e inspiração para viver uma vida mais conectada ao meu verdadeiro Ser. E assim consegui escapar de várias ciladas preparadas pelo destino que certamente teriam me levado à morte física muito antes da oportunidade de acessar a consciência universal.

É importante destacar que o uso das plantas de poder não é um fim em si mesmo. Não é o efeito químico no nosso organismo que determina a validade das experiências com elas. Na realidade, as plantas de poder são veículos para facilitar a nossa mediunidade e percepção do universo. Qualquer trabalho espiritual sério com plantas de poder tem como objetivo principal o autoconhecimento. Se alguém estiver atrás de uma experiência com essas plantas sagradas da natureza para ter um "barato" ou ficar vendo "luzinhas coloridas", desista, porque irá se frustrar.

A visão de uma encarnação próxima

Escrevo para deixar pistas, talvez para mim mesmo
numa outra encarnação.

Depois das minhas experiências com a ayahuasca que me deram a visão de diferentes momentos da morte em minhas encarnações anteriores, no Céu da Montanha e no Céu do Mapiá, nos anos 90, tive um outro *insight* sobre uma das minhas vidas passadas. E essa muito próxima da minha atual encarnação.

Depois de publicar o meu livro *O Despertar de Homens Comuns*, Editora BestSeller, vivi, no começo de janeiro 2018, antes da minha viagem de retorno à Índia em 2018, uma série de eventos mediúnicos que me causaram apreensão e sofrimento. Sem falar que nunca tinha sentido uma solidão tão profunda na minha vida, nesse período. Uma estranha sensação de abandono tomou conta de mim. Entrei em pânico, porque todas as noites vinha uma "coisa" que roubava a minha respiração e despertava um medo ancestral dentro de mim. Eu tinha que me levantar, entrar debaixo do chuveiro, sentar-me na postura de lótus e rezar, rezar muito, pedindo misericórdia. Era muito forte.

Em alguns momentos, recebi o auxílio de guias espirituais nas travessias. Mas não vou negar que era apavorante. Quando a respiração começava a se alterar eu entrava em pânico, porque sabia que não daria para fugir da experiência. O rapé indígena me ajudava a ficar mais firme na matéria e colocar para fora o excesso de energias "estranhas".

Numa dessas passagens difíceis, vi bem na minha frente, enquanto meditava e lutava contra aquela "coisa", Aashu Brahmchari, um siddha yogue da Linhagem Sachcha, que ainda está encarnado, a quem eu tinha entrevistado, num Ashram de Varanasi, na Índia, em 2017, para o livro *O Despertar de Homens Comuns*.

Aashu apareceu materializado, no meu apartamento, em Rio Branco, enquanto eu lutava para sair daquele incômodo físico e espiritual. Sereno, a sua face irradiava luz pura. Ele me olhava, e o seu olhar acalmava a minha respiração desmastreada. Então pelo canal mediúnico Aashu sussurrou: "Fique tranquilo, acalme-se. O serviço dos Sachchas é emanar radiações luminosas para a humanidade. Não precisa se debater tanto. Deixe fluir naturalmente, estamos aqui para lhe ajudar nessa travessia, tenha confiança". Poucos segundos depois a sua imagem astral desvaneceu, mas a sua presença permaneceu, e de fato consegui acalmar meu coração e a minha respiração para continuar numa meditação tranquila, segura e luminosa.

Numa outra situação de desconforto, senti a presença da Baixinha, uma médium de umbanda, já desencarnada, com quem tive muitos contatos nos anos 90. Na sua trajetória ela fez uma mescla dos conhecimentos espirituais afro-brasileiros com os ritos xamânicos-mediúnicos do Santo Daime. Em vários momentos em que a minha mediunidade parecia descontrolada a Baixinha aparecia para me auxiliar. Assim, naquela fase, antes de eu voltar para a Índia, ela se manifestou inúmeras vezes com o seu Caboclo Tupinambá me ajudando nas travessias noite adentro.

Vale destacar que muitas dessas "passagens fortes" que vivi tinham relação não só com o meu caminho de autoconhecimento sistematicamente testado, mas com pessoas que tinham vivido comigo e que estavam por desencarnar naqueles tempos. Um dos casos mais notórios foi com o meu amigo amado e meu mestre na arte da edição de livros, Ernesto Emanuelle Mandarino.

Naquele janeiro ele enfrentou o rito de passagem da encarnação para o plano Astral. Fazia muito tempo que a gente não se via. Mas não sei por que, nos momentos em que agonizava num hospital no Rio de Janeiro, se conectou comigo, mesmo sem eu saber o que estava acontecendo. De qualquer forma acabei ajudando muito o meu amigo a iluminar o seu caminho de volta para casa. A coisa foi tão forte, que senti a presença do Mandarino numa dessas noitadas de mediunidade no meu apartamento do Acre, e no dia seguinte recebi uma mensagem da sua filha Brunella, que morava nos Estados Unidos. Foi algo impressionante, porque eu não sabia que o Mandarino estava doente, menos ainda que a coisa era séria.

Pelo Facebook, ela disse que precisava falar comigo. Na hora pensei intuitivamente: "graças a Deus o Mandarino conseguiu fazer a passagem". Não deu outra. Quando eu escrevi "oi" para a Brunella via Messenger, ela já disse: "Meu pai gostava muito de você. Ele partiu essa noite e eu não poderia deixar de avisá-lo".

Assim, naquelas sessões solitárias noturnas de mediunidade, havia várias situações que desencadeavam o processo. O auxílio às pessoas nas suas travessias, um inconsciente coletivo em pânico, com as mudanças políticas que o Brasil atravessava e obviamente também o enfrentamento das minhas contradições pessoais. Enquanto estamos encarnados é muito fácil a gente se enrolar nas armadilhas da mente e do ego. Ainda mais um jornalista como eu, que nunca negou a sua mundanidade.

Abro aqui um parêntesis antes de continuar esta narrativa para algumas reflexões. Confesso que nesse tempo encarnado como um *jiva* sempre estive em extremos. Algumas vezes "metendo o pé na jaca" em tudo que dá prazer à matéria; outras, praticamente um monge em meditações sublimes na minha busca pelo meu Ser Divino. A chave desse mistério sempre foi procurar o equilíbrio entre as duas coisas. Eu ainda não encontrei, mas continuo tateando, procurando permanecer livre de culpas e seguindo a minha peregrinação nessa existência.

Lembro-me de um diálogo com uma amiga, no qual fui um canal para um conselho nesse sentido. Ela devia ter perto de 40 anos de idade, muito bonita e namoradeira de mulheres. Sempre tinha "casos" muito intensos e complicados. Acho que se sentia culpada por ter uma sexualidade forte e, ao mesmo tempo, uma busca espiritual sincera e verdadeira.

Um dia, a minha amiga estava enrolada em dois relacionamentos simultâneos. Uma mulher, que era sua parceira dos caminhos espirituais; e uma outra, com quem tinha uma intensa atividade sexual. Estava desesperada e sentindo-se culpada. Pelo meu canal mediúnico, veio um conselho muito simples para ela: "se tiver uma noitada de sexo, em vez de sentir culpa simplesmente volte ao seu *sadhana*. Continue praticando, porque, no momento certo, essa sexualidade irá se esgotar naturalmente, como tudo na vida. Mas não interrompa a sua disciplina espiritual em hipótese nenhuma".

Seguindo com a narrativa, depois das três primeiras viagens que fiz à Índia, senti uma mudança profunda. Muitas das coisas que despertavam meus desejos mundanos foram se esgotando naturalmente, e a atração por objetos sensoriais diminuindo cada vez mais. Obviamente que na minha vida cotidiana realizava as tarefas que se apresentavam, mas sempre procurando o caminho de volta ao meu Ser. Não me sentia preso a nada. Sempre soube que a "realização" quando tiver que chegar irá se apresentar com uma força além do meu controle racional. Mas isso pode tanto demorar muitas encarnações na roda de *Samsara* quanto acontecer a qualquer instante. O tempo não importa quando se está realmente conectado ao presente.

Existem inúmeras histórias de pessoas que despertaram quando menos esperavam. Na maioria das vezes isso acontece com o auxílio de um Ser desperto ainda encarnado. Um toque pode desencadear o "despertar" para quem está pronto, mas isso são mistérios que se desdobram naturalmente, sobre os quais não temos controle nenhum.

Conversando com o meu amigo Prem Baba por mensagens, que naquele período dessas minhas passagens mediúnicas fortes estava na Índia, ele me deu um *insight* do que poderia estar acontecendo. Prem Baba me alertou que apesar da minha profunda experiência espiritual com os Sachchas para escrever o livro *O Despertar de Homens Comuns*, havia uma etapa naquele processo que deveria ser cumprida ritualisticamente: a iniciação Sachcha, uma espécie de batismo na Linhagem.

Quando Prem Baba me sugeriu a necessidade da iniciação formal, rebelei-me internamente. Afinal, já tinha tido experiências mediúnicas muito fortes com diversos gurus da Linhagem. O que seria aquilo? Uma mera burocracia? Mas algo dentro de mim falou mais alto do que o meu ego. E vivendo naquele desconforto de sensações que me assaltavam, corri para uma agência de viagens e comprei uma passagem para a Índia para daí poucos dias aceitando de coração a minha iniciação.

Cheguei a Rishikesh no fim de janeiro de 2018. Por meio de um pandit brâmane eu seria iniciado num ritual na Linhagem Sachcha. Desde que tive um contato mediúnico com o Guru Sachcha Hans Raj Maharaj fui conectado a um fluxo espiritual da sua Linhagem. Pela minha percepção, Maharaj fazia questão de que seus devotos passassem pela iniciação. E utilizou o seu discípulo Prem Baba como o canal para me esclarecer essa questão que estava diretamente relacionada com as passagens mediúnicas fortes que eu vinha tendo.

Desde o dia que cheguei a Rishikesh alguma coisa mudou radicalmente. A sensação de solidão desapareceu completamente. Também aquelas madrugadas aflitivas deixaram de acontecer. Fui tomado de um contentamento e de uma energia restauradora incrível. As sombras se dissiparam e eu me sentia brilhante e harmonizado. Uma claridade me rodeava.

A cada banho na *Ganga*, uma energia regeneradora fluía por todos os meus poros e *nadis*. Às vezes, depois de um banho na *Ganga* me sentava nas pedras exposto ao sol e entrava numa meditação profunda guiado pelo amor da *Ganga* e a força de *Surya*. Eu estava em equilíbrio e harmonia. Um ou outro incômodo normal típicos de pessoas mimadas desse nosso mundo civilizado, mas sem muita força. A cada inspiração o meu *prana* essencial se renovava e fluía pelos meus corpos físico e astral. Eu estava novamente forte, feliz e inspirado.

Nesse período, encontrei muitas pessoas que tinham lido *O Despertar de Homens Comuns* e me davam depoimentos maravilhosos de como o livro as tinha ajudado nas suas jornadas de buscadoras espirituais. Um momento maravilhoso guiado pelos frutos das minhas ações que eu não esperava receber.

Além de tomar banhos diários na *Ganga* e meditar nas pedras espalhadas pelas suas margens, eu gostava de ir ao quarto de Mahasamadhi do Maharaj. Um verdadeiro diálogo se travava dentro de mim no silêncio da meditação naquele espaço dentro do Ashram Sachcha Dham. Maharaj ensinava por meio do meu canal mediúnico, limpando assim resquícios de ignorância entranhados dentro de mim para despertar o Amor. Os dias se tornaram de iluminação e de um contentamento sem fim.

Entendo que a iluminação é uma colcha de retalhos de momentos de êxtases, sofrimentos e entendimentos. É uma ilusão que alguém iluminado vá permanecer naquele estado o tempo todo. E, na minha opinião, essa não deve ser a meta da jornada. Aliás, acho que o melhor é não ter meta nenhuma e ir vivendo da maneira mais *dhármica* possível. Pode ser que alguns santos tenham conseguido se iluminar encarnados e permaneceram nesse estado de maneira permanente, mas são poucos.

Naquele movimento em torno do Guru, os dias foram se passando e eu conhecendo novas pessoas interessantes. Gente querendo decifrar a razão da existência e se autoconhecer. Cada um do seu jeito e no seu grau. E eu aguardando o momento de me iniciar na Linhagem Sachcha.

Lembro-me de uma tarde em que me comunicaram que a Denise, uma das minhas amigas mais queridas daquela *sangha*, estava doente num quarto de hotel, em Laxmanjula, um distrito de Rishikesh. Eu havia terminado uma meditação no quartinho do Maharaj e rumei diretamente para onde estava a Denise. Entrei no quarto dela, que estava na penumbra, atuado com meus guias da floresta. Baixou uma força linda dentro de mim e comecei a cantar hinos dos mestres do Santo Daime. Dava passes nos presentes e trabalhava com a amiga acamada. Consegui ver a doença que a estava afligindo e comecei a assoprá-la, como me ensinou o meu pajé Assis ou Arumuiá (no idioma indígena) do povo Katuquina.

Que maravilha poder ser um instrumento desses guias luminosos! Enquanto a gente trabalha como "aparelho" todas as bênçãos, compaixão e a cura dos seres divinos passam pelo nosso interior. E muita dessa luz permanece; é o fruto do trabalho de caridade pregado pelos espíritas. Você se entrega, se doa e aumenta a sua percepção sobre si mesmo.

O trabalho de cura deu resultado e pude ver a minha amiga bem nos dias seguintes. Ela derramou-se de gratidão na sua humildade. Obviamente que eu tinha plena consciência de ser apenas um instrumento e não o autor de tais proezas. Mas ser usado como aparelho me trazia muita alegria e amor, sobretudo a certeza de que o fluxo verdadeiro da vida está muito além desse mundo criado pela racionalidade que, na verdade, é *Maya* pura. O comando de todas as existências está muito além de acúmulos de riqueza e poder político, e todos os seres estão conectados na mesma fonte da Criação, mesmo que não tenham consciência.

Numa das manhãs no Ashram encontrei com a Luiza, uma buscadora de caminhos védicos, mas também uma guerreira do Santo Daime, que frequentava o Céu do Mar, no Rio de Janeiro. Já tínhamos estado juntos em Alto Paraíso de Goiás. Ela havia me falado, naquela ocasião, sobre um jovem xamã que vivia nos Himalaias e fazia seus trabalhos com plantas de poder. Fiquei muito interessado nesse personagem. E eis que neste novo encontro com Luiza, o xamã védico Mukesh estava com ela em Rishikesh.

Num momento depois do *Satsang*, no Sachcha Dham, nas escadarias do templo de Mahasamadhi do Maharaj, lá vem a Luiza com o Mukesh ao lado. Um jovem indiano negro, com um estilo *hippie*, bandana na cabeça, colares, bolsa-saco típica de viajante, muitos anéis nos dedos, e um sorriso enorme me cumprimentando. Fomos imediatamente para as praias da Ganga para celebrar o encontro nas águas da Mãe Divina.

Mukesh é um jovem urbano nascido em Delhi. Mas nos caminhos para se autoconhecer acabou indo morar nas alturas dos Himalaias, na região de Manali. Abriu uma *Guest House* para buscadores numa pequena vila entranhada nas montanhas. Se tornou um guia espiritual para muitos indianos e estrangeiros. Mas sem nenhuma pompa e nem séquitos de seguidores, uma coisa *hippie* mesmo, bem ao estilo que sempre me agradou.

Um chinês que estava na Índia atrás de trabalho se uniu ao nosso grupo. Começamos a fazer visitas a lugares sagrados e também a cafés ao longo da margem da Ganga onde tomávamos chá e consagrávamos as plantas de poder dos Himalaias. Tudo permeado por muita meditação e alegria.

Numa tarde, Mukesh nos levou para conhecer uma montanha muito alta, em frente ao centro urbano de Laxmanjula, em Rishikesh. Começamos a subida animados, conversando e cantando alguns mantras. Na trilha em que estávamos, naquele ponto dos Himalaias, uma revoada de pavões selvagens coloridos e imponentes atravessava o nosso caminho produzindo sons misteriosos, um espetáculo maravilhoso que trazia contentamento à alma. Logo relacionei a presença dos pavões à manifestação viva de Krishna. Naqueles dias que precediam o Mahashivaratri, eu tinha comentado com um amigo que Shiva estava forte dentro de mim, mas que em algum momento alcançaria também a consciência de Krishna, que é uma das encarnações de Vishnu, o mantenedor do Universo. Só para aclarar: os deuses védicos são arquétipos no nosso interior que podemos usar como espelhos para alcançarmos novos estados de consciência. Apesar de haver uma profusão de deuses no panteão védico, todos se fundem no Deus Único Ishvara.

Depois de subirmos por umas três horas por essa encosta dos Himalaias, chegamos a um platô no alto da montanha onde havia uma caverna habitada por um *sadhu mouni*, ou seja, um homem que fez voto de silêncio e abandonou a fala. Mas o *sadhu* não estava lá no momento em que chegamos, e a sua gruta estava trancada por um cadeado na entrada que tinha barras de ferro, obviamente por ser ali um lugar muito próximo da urbanidade de Rishikesh e, consequentemente, sujeito à presença de ladrões. Mesmo que dentro da caverna não houvesse absolutamente nada de valor material que valesse a pena ser roubado.

Mas ali, diante da caverna do *sadhu mouni*, começamos uma meditação. Entrei num estado de contemplação interior profundo e tive um *insight* da minha encarnação anterior. Tudo se revelou num estalo. Me lembrei de mim mesmo numa vida anterior como indiano e devoto fervoroso de Mahatma Gandhi, que era o meu guru. Impossível descrever a alegria que essa revelação me causou. Lembrei do amor que eu compartilhava com o meu guru numa vida passada, algo maravilhoso que se espalhou por todo o meu Ser. Senti um êxtase tão grande em saber que eu tinha vencido a morte mais uma vez, que comecei a cantar e bailar em frente à caverna do *sadhu mouni*.

Naquela profusão de imagens e sensações que me tomaram, lembrei de uma manhã quando eu morava em Santa Teresa, no Rio de Janeiro, nos anos 90. Eu tinha feito um trabalho espiritual na noite anterior no Santo Daime. Consegui repousar ao chegar em casa e acordei num estado resplandecente. Um raio de sol iluminava meu braço e levava aquela radiação solar de vida para dentro de todo o meu Ser.

Também me recordei de um sonho em que eu estava numa praça e via uma multidão correndo. Gritavam que alguém tinha assassinado o Mahàtma. Lembro-me da dor, da tristeza e do desespero que me assolou. Mas quando acordei, ainda tomado por aquele sonho real, algo maior se revelou: o Guru Gandhi não poderia morrer, porque estaria para sempre vivo dentro de mim, inclusive, além das fronteiras da morte se manifestando em novas encarnações que eu viveria. E quando abri os olhos para me levantar da cama percebi que um raio de sol me iluminava e espalhava aquela luz divina por todo o meu corpo, a minha alma e o meu espírito.

Naquela tarde na montanha, em Rishikesh, com os meus amigos, esse sonho se avivou e revelou o seu significado. Gandhi, na minha vida passada, havia despertado um amor tão intenso e profundo dentro de mim, que essa sensação permaneceu ecoando na minha encarnação atual. Desde que eu era criança nesse corpo que ocupo atualmente sempre tive uma ligação forte com o Mahatma.

Numa ocasião, na minha pré-adolescência, montei uma peça de teatro sobre Gandhi, no colégio em que eu estudava em Marília, no interior de São Paulo. O meu amado guru na vida passada nunca me abandonou. Talvez isso explique a ligação que tenho com a política como jornalista durante toda essa minha vida. Só lamento que os ideais de Gandhi estejam longe da atual realidade que vivemos politicamente com a radicalização do ódio e da divisão.

A humanidade não entendeu a mensagem do Mahatma Gandhi de uma política *dhármica*. Isto significa colocar os interesses dos menos privilegiados à frente de qualquer coisa e abandonar os interesses pessoais. A ideologia de Gandhi funde o amor pelo próximo e a ação correta para melhorar a vida das pessoas. E, sobretudo, o Mahatma pregava a unidade entre todas as religiões, uma das principais fontes das guerras da humanidade. A visão de Gandhi era espiritual e não religiosa, não importando se a busca por Deus acontecesse por meio do hinduísmo, cristianismo, judaísmo, islamismo, budismo ou qualquer outra religião. O mais importante é a conexão com o espírito habitante do nosso corpo, que é o Deus vivo dentro de nós.

Numa outra ocasião, quando eu trabalhava na Editora Record, fui participar de uma das mais importantes feiras do livro do mundo, a ABA (American Bookseller Association) que naquele ano acontecia em Miami. Como editor do Selo Nova Era, percorri os milhares de estandes de editoras de diversos países atrás de obras que tratassem de espiritualidade e pudessem ser publicadas no Brasil.

Então numa das esquinas da feira encontrei um estande muito simples. Era de uma pequena editora indiana. Comecei a olhar os livros empoeirados nas estantes e um me chamou a atenção. Era um livro fino com os vários artigos que Gandhi escreveu na imprensa indiana sobre racismo, discriminação religiosa e as questões de castas sociais. Grande parte dos textos tinham sido produzidos por ele quando morou na África do Sul e enfrentou muitos preconceitos por ser considerado "negro".

Para resumir a história, pedi o livro para o editor e anotei o seu contato. Fiz todos os trâmites para publicar a obra que, no Brasil, saiu com o título de *Minha Missão*. Por uma série de motivos não foi publicado pela Record, mas por uma pequena editora do meu amigo Gustavo Barbosa. Agora, o interessante dessa história é que *Minha Missão de Gandhi*, ficou, pronto exatamente no Dia da Independência da Índia, 15 de agosto. E isso não foi absolutamente programado. A produção gráfica seguiu o seu fluxo natural e o primeiro exemplar impresso foi entregue no Dia da Independência da Mãe Índia, a principal causa da vida de Gandhi.

Voltando ao dia em que tive consciência da minha encarnação anterior, quando eu estava descendo as montanhas, recebi uma mensagem pelo WhatsApp que a minha iniciação na Linhagem *Sachcha* aconteceria no Dia do Mahashivaratri. Que maravilha! No esplendor da lua nova, na noite mais escura do Hemisfério Norte, quando Shiva desce à Terra para livrar os seus devotos do medo e da morte, eu seria iniciado numa tradição ancestral védica indiana que tem como objetivo principal despertar o Amor em todos os seres por meio da verdade (*Sachcha*).

Parabu app Jagô, Paramatma Jagô, Meresarve Jagô, Sarvatra Jagô, Sukanta Ka Kell, Parakashi Karô! (Deus na forma do Amor, desperte em mim, em ti, em tudo, e em todos os lugares, e ilumine o jogo da alegria e da bem-aventurança)

(Sachcha Baba)

Vesti-me de branco, ofereci guirlandas de flores e doces aos Mestres Sachchas e recebi um mantra para me conectar com a Linhagem. Tudo isso aconteceu na manhã que precedeu a Noite do Mahashivaratri. Rendi-me ao conhecimento intuitivo de um fluxo de gurus iniciados por Narada, devoto de Vishnu, um médium entre os deuses védicos e a humanidade que canalizou textos e músicas divinas.

A instrução que recebi dos Sachchas foi rezar por toda a humanidade pedindo para que Deus esteja sempre desperto dentro de mim e de todos os seres. O interessante é que depois da minha iniciação na Linhagem Sachcha muitas coisas se transformaram na minha vida. A Índia se tornou um lugar mais familiar e os medos que eu tinha do desconhecido cada vez que viajava para lá desapareceram.

Uns dias depois da minha iniciação fui para Delhi com meu novo amigo Mukesh. Comia em restaurantes indianos muito baratos aquelas comidas apimentadas sem passar mal. Subia com ele no topo dos prédios no centro de Delhi onde os jovens se reuniam para fumar haxixe e ouvirem *rock* e mantras indianos. Muitas vezes quando o Mukesh conversava em hindi com aqueles jovens, para os quais ele era uma espécie de guru, eu entendia o contexto da conversa, mesmo não sabendo nada do idioma. Dias e noites interessantes numa das cidades mais populosas do mundo.

Também pude entender o motivo que desde a primeira vez que fui à Índia e vi uma imagem do Santo Sai Baba de Shirdi, que viveu entre os séculos XIX e XX, senti uma enorme proteção. Certamente essa devoção por aquele Santo que, como Gandhi, pregava a unidade entre todas as religiões já vinha dentro de mim desde a minha encarnação anterior.

Assim como se aclarou também um encontro que tive com um *sadhu*, às margens da Ganga, em 2016, em que ele conversava comigo como se tivesse me reencontrado, apesar de obviamente nunca tê-lo visto nesta vida. O *sadhu* leu trechos do épico da literatura sagrada indiana, Ramayana, para mim e quis me presentear com a sua calça de meditação, mesmo sem ter praticamente nada. Ao nos despedirmos naquele pequeno templo onde ele vivia, o *sadhu* me disse umas palavras emblemáticas: "veja se não vai demorar tanto outra vez para aparecer por aqui".

CAPÍTULO III

Além do bem e do mal

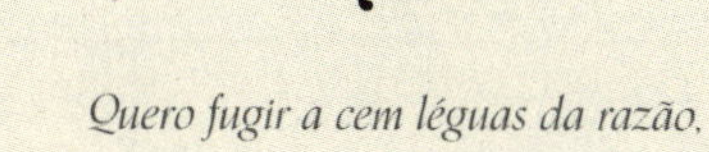

Quero fugir a cem léguas da razão,
Quero da presença do bem e do mal me liberar
Detrás do véu existe tanta beleza,
lá está meu Ser...

(Rumi)

Quero fazer uma ressalva neste ponto da narrativa para que o leitor não confunda alguns conceitos de bem e mal, que são extremamente limitantes para um entendimento maior da existência. Num aspecto mais elevado, preconizado pelos grandes *Rishis* (Sábios), o bem e o mal são os dois lados da mesma moeda. Eles não estão separados e nem são antagônicos por questões morais como a maioria das religiões quer mostrar aos seus seguidores. Mesmo porque aquilo que parece ser o mal para uma pessoa poderá ser o bem para outra. É muito difícil fazer um julgamento maniqueísta desses conceitos.

Vou exemplificar com a parábola bíblica do livro de Gênesis. Se Adão e Eva não tivessem provado do fruto proibido não existiria a humanidade. Viveríamos todos num paraíso ilusório sem termos tido a oportunidade da experiência encarnatória no mundo material. Como seríamos vivendo nesse Paraíso? Provavelmente anjos desfilando tediosamente pelas nuvens do Céu com arpas sonoras. Será que era isso que o nosso Criador desejava? Tenho certeza que não.

Se estamos encarnados e vivendo a experiência da materialidade é porque existe uma razão. Obviamente que nem tudo pode ser explicado, porque de outro modo não existiriam os mistérios que nos inspiram à busca do desconhecido.

Mas o fato é que se Adão e Eva tiveram relações sexuais e sentiram prazeres físicos, o chamado fruto proibido, é porque a humanidade precisava se manifestar com todas as suas contradições nesse mundo de dualidade. Então comerem a maçã oferecida pela Serpente foi o início do mal? Se a resposta for afirmativa, chegaremos à conclusão de que o mal nasceu no mesmo instante que o bem. Porque anteriormente no Paraíso, Adão e Eva não conheciam nem o bem nem o mal. Aquilo que o livro de Gênesis chama de expulsão do Paraíso Divino pelo pecado original é, na verdade, o início da experiência humana terrestre.

Da maneira que eu entendo o Velho Testamento da Bíblia, este é composto por vários textos que são parábolas para a reflexão dos seres humanos sobre a existência. Não acredito que essas histórias aconteceram de maneira literal, mas que sim podem ter conexões com a realidade de algum momento da nossa civilização. Então não deixam de ter um valor inestimável.

Mas seguindo nessa reflexão sobre o bem e o mal, existe um mantra budista que mostra a limitação desses conceitos.

"*Gate, Gate, Paragate, Parasamgate, Budhi Swaha*". A tradução aproximada destas palavras em sânscrito seria mais ou menos: "Vá além, além do além, mais além ainda, para despertar à sua iluminação".

Veja que ir além significa não se limitar ao bem e ao mal, ao certo e ao errado, à sabedoria e à ignorância, à vida e à morte. Enquanto estivermos apegados a esses conceitos duais e contraditórios não alcançaremos o despertar da nossa consciência que significa o acesso à Verdade. A iluminação é inerente à nossa existência, não é algo a ser almejado. Ela acontece de maneira natural quando despertamos sem precisarmos de um esforço determinado. Nesse sentido, ser e estar no presente já é um grande passo para ir além e despertar aquilo que já está dentro de nós.

Demônios criados pela ignorância do Ser

Na cultura védica não existe a personificação do mal como demônio, tão comum nas tradições judaico-cristãs. *Asuras* é o conceito que representa os seres míticos enredados pela ignorância humana forjada por gostos e aversões, ou seja, prisioneiros da dualidade. No Bhagavad Gita a natureza dos *asuras* é descrita por Krishna:

"Hipocrisia, arrogância, vaidade exagerada, raiva, ironia e ignorância existem para aqueles que nascem com características de *asura*. Considera-se que as características dos *devas* (deuses) são para a libertação e as dos *asuras*, para o aprisionamento".

Note que o Bhagavad Gita atribui aos *asuras* valores humanos de baixa frequência que os impedem de evoluir. E, por causa dessa ignorância, ficam presos à roda de *Samsara* reencarnando sempre, apegados aos desejos e sofrendo no mundo de ilusão. Krishna mostra como pensam os *asuras*:

"Sou rico. Sou descendente de família nobre. Quem mais existe igual a mim? Farei rituais. Farei doações. Terei prazeres. Assim pensam os *Asuras*. Iludidos com várias formas de pensamentos, encobertos pela rede de ilusão, são apegados aos prazeres dos objetos e assim caem no inferno impuro".

Mas alguém poderia perguntar: qual a relação que isso tem com a mediunidade? Doutrinando a ignorância, poderemos libertar um espírito aprisionado à matéria mesmo depois da morte. É preciso induzi-lo ao entendimento da Unidade cósmica. Porque não são demônios com chifres e soltando fogo pela venta, mas a ignorância que mantém o sofrimento vivo no mundo.

Santos "estranhos" ao julgamento humano

Santidade não tem nada a ver com religiosidade. Querer julgar as atitudes de seres iluminados por meio de conceitos morais é uma perda de tempo. Na verdade, esse tipo de julgamento baseado em padrões pré-estabelecidos pela moral humana acaba gerando preconceitos que limitam a nossa compreensão de certos fenômenos místicos. Muitos desses santos e santas das mais diversas culturas espiritualistas desafiaram, por meio de suas atitudes, esse conceito estático de bem e mal.

A observação da história de vida de alguns santos nos levará exatamente a um ponto transcendente de bem e mal, certo e errado, que são baseados em padrões morais humanos e não na Verdade. Na Índia existem vários "iluminados" que seriam considerados loucos pelo padrão ocidental de conduta. Eles são os *Avadhutas*, seres que alcançaram um estágio de consciência capaz de romper com qualquer padrão pré-estabelecido pelas regras sociais, morais e religiosas.

Os *Avadhutas* são homens e mulheres que não se importam mais com padrões comportamentais. Poderíamos dizer que são "loucos em Deus". Muitos deles costumam meditar nos lugares mais insalubres, como cemitérios, depósitos de lixo e até mesmo sobre excrementos. E fazem isso para mostrarem o total desapego à materialidade. Para os *Avadhutas* não existe o "politicamente correto". Eles simplesmente vivem a iluminação totalmente devotados à consciência elevada em Deus, que alcançaram nas suas encarnações, sem se importarem com as opiniões dos homens.

Entre os *Avadhutas*, vou citar dois que ficaram muito conhecidos: Milarepa, que se tornou uma espécie de messias para o budismo tibetano, e Katcha Baba, um guru indiano, profeta do fim do mundo que operou vários milagres e causou muita estranheza com as suas atitudes. A trajetória de vida deles é um desafio para os conceitos de "santos bonzinhos" só capazes de fazerem o bem.

Milarepa viveu no século XI, no Tibete. Era filho de um rico proprietário de terras que morreu ainda jovem. A viúva, mãe de Milarepa, foi enganada pelo irmão do seu marido, que lhe roubou todas as terras e bens materiais. Assim, Milarepa e sua mãe ficaram na mais absoluta miséria vivendo como vassalos nas suas próprias terras roubadas. Em razão desses acontecimentos, Milarepa viveu a sua infância na pobreza e numa atmosfera de vingança. O ódio que essa mulher alimentou era tão grande, que mandou Milarepa estudar com um "mago negro" para adquirir poderes e ser um instrumento da sua vingança contra o seu cunhado.

E assim aconteceu. Em pouco tempo, Milarepa aprendeu com o "mago negro" a fazer conjurações mágicas para destruir a vida de quem quisesse. Ele usou esse poder contra o tio, a pedido da mãe, e materializou uma chuva de pedras sobre as suas terras. Depois desencadeou uma série de pragas que praticamente destruíram a família do seu tio. Muitos morreram sob a espada de vingança de Milarepa, numa verdadeira tragédia familiar.

No entanto, Milarepa, depois de realizar a vingança contra os seus parentes a pedido da mãe, começou a sentir um enorme vazio e arrependimento. Ele sentiu que a conjuração de toda aquela desgraça não havia lhe trazido nem contentamento e nem realização. A vingança só havia aumentado o sofrimento da sua vida.

Arrependido, Milarepa procurou Marpa, o Lama mais conhecido do Budismo no Tibete, naquela época, para iniciar uma nova jornada na sua vida e livrar-se do *karma* de ter provocado tantas mortes e sofrimentos com a sua vingança. A princípio, Marpa não quis nem conversa com Milarepa, que queria se tornar seu discípulo. A fama de Milarepa de ter provocado tempestades de pedra e outros flagelos por meio da "magia negra" já havia se espalhado pelo Tibete.

Depois de muita insistência e a intervenção de Dagmema, a compassiva esposa de Marpa, Milarepa acabou sendo aceito pelo mestre para receber a sua iniciação. Mas as coisas não foram simples para Milarepa. Marpa mandou-o construir uma casa de pedras nos jardins onde vivia. Quando já estava pronta, o mestre alegou jamais ter dado aquela ordem e mandou Milarepa desmanchar a casa.

Quando Milarepa estava quase terminando o desmonte, Marpa se enfureceu com ele alegando loucura do discípulo destruir uma casa pronta. Assim Milarepa, ao longo de muitos anos, construiu e destruiu nove casas sob as ordens e contraordens de Marpa. O objetivo era claramente que Milarepa desgastasse o *karma* negativo que tinha acumulado sob a sua vingança e o uso da "magia negra". Durante todo esse tempo Milarepa manteve-se paciente e conformado com o seu destino, mas firme na sua determinação de tornar-se um discípulo de Marpa.

Até que um dia o mestre resolveu iniciar Milarepa nos conhecimentos tântricos do budismo tibetano. A evolução do discípulo foi muito rápida, e em pouco tempo Milarepa se tornou também um mestre dos mais profundos mistérios do budismo tibetano. Então foi para uma caverna onde passou 12 anos meditando.

Quando retornou para ensinar outros discípulos, Milarepa começou a receber mediunicamente canções e poemas narrando os legados de conhecimentos deixados pelo Buda para a humanidade.

O corpo humano é uma bolsa de sujeiras e imundícies;
Nunca sinta orgulho dele,
Mas ouça a minha canção!
Quando eu olho para o meu corpo,
Eu o vejo como a miragem de uma cidade;
Mesmo que possa durar por um tempo,
Está destinado à extinção.
Quando penso nisso meu coração se enche de dor!
Mas você não gostaria de se libertar da roda
de encarnações de Samsara?

Oh quanto mais eu penso nisso,
Maior é o meu desejo de dedicar-me ao Buda e ao Dharma!

(Trecho de um poema-canção
de Milarepa aos seus discípulos)

Já Katcha Baba viveu na Índia, entre os séculos XIX e XX, na região de Varanasi, considerada a cidade mais antiga do planeta. Segundo os relatos, recebeu sua iniciação como guru diretamente de Vishnu, o mantenedor do Universo. Construiu um Ashram no campo para os seus discípulos, mas depois de um tempo, sentindo a aproximação cada vez maior do *Paravirtam* (mudança de Era da humanidade), resolveu acelerar o processo do fim dos tempos para trazer logo uma nova Era de paz e conhecimento.

O Guru Sachcha observava a entrega de homens e mulheres à devassidão e sentiu que não era mais possível salvar a humanidade vivente na *Kali Yuga* (a era atual). Então passou a pronunciar mantras evocando a dissolução do mundo moderno para acelerar a chegada da *Satya Yuga*, uma próxima era de conhecimento e verdade para a humanidade.

Assim Katcha Baba permitiu aos seus discípulos entregarem-se a jogos de sensualidade e prazer, consumirem bebidas alcoólicas e comerem carne. Tudo na intenção de destruir de vez o mundo e as sociedades que nele habitavam. Mas essas atitudes de Katcha Baba chamaram a atenção de um outro guru poderoso, Giri Nari Baba.

Os dois debateram por vários dias a questão da dissolução do mundo e o sofrimento da humanidade. Finalmente, Katcha Baba resolveu interromper a evocação da "destruição" e transmitiu o seu poder para Giri Nari Baba para continuar a missão da Linhagem Sachcha de "despertar" a humanidade para uma consciência mais amorosa conectada aos preceitos divinos.

Afirmar que não existem apenas santos cristãos é o óbvio que alguns fundamentalistas insistem em não ver. Nesse sentido, existe uma passagem na vida do monge budista Thich Nhat Hanh que pode muito bem ilustrar essa limitação de visão de alguns cristãos fundamentalistas.

Thich Nhat Hanh foi convidado para participar de um congresso que debatia as principais religiões do planeta. O monge, que salvou milhares de crianças durante a Guerra do Vietnã, e havia sido até indicado para o Prêmio Nobel da Paz, proferiu uma palestra no referido congresso que emocionou a todos os presentes.

Então um pastor protestante norte-americano, desses que têm programas de televisão visto por milhões de pessoas, que estava bastante entusiasmado pela sabedoria do monge budista demonstrada na palestra, teceu o seguinte comentário:

"Realmente esse monge budista é um homem de grande conhecimento e valor. Pena que ele não conheça o nosso Senhor Jesus Cristo".

O nó da culpa

O problema do maniqueísmo, do bem e do mal, é que desperta a culpa nas pessoas; e a culpa é um dos grandes obstáculos para a nossa evolução existencial. O bem está associado à perfeição e o mal à imperfeição. Grosso modo, tudo que é perfeito é do bem e toda imperfeição está relacionada ao mal. Esses conceitos de bem e mal, perfeito e imperfeito, são manifestações do nosso ego. São idealizações mentais que, em última instância, têm como objetivo nos dar a esperança de superar a morte. Aquilo que é perfeito é eterno e o imperfeito submetido às agruras do tempo e ao aniquilamento.

Mas não é bem assim que eu entendo. O que prova a perfeição é justamente a imperfeição, que tem um valor inestimável no nosso processo de aprendizado espiritual. Aprendemos com os nossos erros que nos dão a possibilidade de corrigirmos a nossa trajetória para alcançarmos o *Dharma*. Esse conceito védico, também presente na filosofia budista, é muito importante. *Dharma* significa a ação correta capaz de nos levar à realização. Mas só teremos certeza de que uma ação é correta se conhecermos também a ação incorreta.

Quem nunca viu a noite também não saberá da existência do dia. Como alguém pode conhecer a iluminação, se não conheceu a escuridão? Na verdade, para haver iluminação é preciso que haja anteriormente a escuridão. Como é possível iluminar a iluminação? Não, a gente só pode ver e perceber a luz se estiver na escuridão. Se entramos num quarto que está escuro acendemos as luzes para podermos ver aquele espaço. A iluminação é um evento que só é percebido na ausência da luz. Então as duas coisas são indissociáveis e coexistem na Unidade.

Podemos fazer a mesma reflexão para uma divisão cotidiana constante nas nossas vidas. Se estamos rezando ou meditando, estamos vivendo a nossa vida espiritual. Mas se formos a um *shopping* fazer compras ou a uma boate dançar, estamos vivendo a nossa vida mundana ou material. Na realidade, não existe essa separação entre a vida espiritual e a vida material. O Guru Siddha Baba Muktananda costumava dizer que tudo é espiritual. Somos um corpo habitado por um espírito. Se não fosse assim, o nosso corpo seria apenas uma matéria inanimada. O que dá vida ao nosso corpo para realizar todos os seus movimentos são os comandos do nosso espírito. Então essa separação é pura ilusão.

Os conceitos morais acabam por interferir no julgamento das atividades consideradas espirituais ou materiais, e isso é uma grande tolice. O Padrinho Sebastião Mota de Melo costumava dizer aos seus discípulos: "É preciso ser e não parecer". A tendência de quem começa a praticar qualquer tipo de *Sadhana* é tentar idealizar um comportamento que esteja de acordo com os padrões morais pré-estabelecidos. Assim, alguns buscadores se perdem em aparências externas que acreditam determinar a sua evolução espiritual. Isso é parecer e não ser; porque quem é verdadeiramente se assume com todos os seus erros e acertos, sabedorias e ignorâncias; realizará mudanças para se aproximar cada vez mais do seu Ser interior e não para receber a aquiescência do mundo externo. A própria obsessão pela perfeição é uma prova do apego às armadilhas do ego.

Por que o momento que alguém está fazendo sexo não seria espiritual, se é essa a energia que perpetua a espécie no planeta? Ou mesmo quando alguém está no banheiro defecando, por que não seria espiritual? Afinal, limpar os nossos intestinos é o que permite o nosso aparelho físico funcionar de maneira adequada para continuarmos a viver essa experiência da encarnação. Então todos esses momentos são tão espirituais quanto quando nos curvamos num templo (*pronam*) para agradecermos a vida e as bênçãos divinas.

CAPÍTULO IV

A Lei do *Karma* ou colher o que planta

Quando digo que numa esfera mais elevada de entendimento da existência não existe nem bem e nem mal não quero dizer que estamos livres das consequências das nossas ações. A Lei do *Karma* é inexorável e não há como se livrar dela. Ao contrário do que a maioria das pessoas imagina, *karma*, em sânscrito, significa ação e não destino (*parabda*) como o senso comum acredita. Todas as nossas ações têm consequências naturais.

Por exemplo, se uma pessoa mata a outra não terá como se livrar das consequências dessa ação. Mesmo que de acordo com as leis humanas possa encontrar alguma brecha jurídica e não ser condenada à prisão, ainda assim sofrerá consequências. Poderá ficar com um peso na consciência de ter tirado uma vida. Mas se não tiver essa consciência do dano causado ao outro, pode ser que um parente da vítima queira se vingar e acabe matando aquela pessoa. Não há como se livrar do *karma*.

O *Karma* e a Justiça Divina

Muita gente ainda entende as religiões de maneira supersticiosa e não espiritual. E um dos instrumentos mais utilizados para impor "verdades" dogmáticas é a propalada Justiça Divina. Alguns sacerdotes que pouco conhecem de espiritualidade, mas muito de regras comportamentais e morais, "assustam" os seus seguidores com as ameaças de um "deus colérico" que está sempre pronto para punir aqueles que não seguem as "regras", e são pecadores.

Não entendo isso como Justiça Divina e, tampouco, acredito numa divindade intolerante com os erros humanos. Quem cria as punições das transgressões comportamentais é a própria consciência de quem está enredado em dogmas intransigentes. O medo é muito mais forte e destrutivo do que o pecado. Vivendo num mundo dualista é impossível que qualquer ser encarnado não cometa erros durante a vida. Porque aquilo que é certo para uns é errado para outros e vice-versa. Então o julgamento do pecado é sempre muito relativo.

Mas uma coisa que não é relativa é a Lei do *Karma*. Ela é implacável e mais cedo ou mais tarde sempre revela as suas sentenças. Eu diria que a Lei do *Karma* é mecânica e dispensa qualquer tipo de tribunal. Então, a verdadeira Justiça Divina é a Lei do *Karma*. As nossas ações nessa e em outras vidas nos perseguem gerando frutos positivos e negativos. Não tem como escapar desse processo natural de causa e efeito na existência.

Por exemplo, se alguém está destruindo a natureza para aumentar seus ganhos financeiros, pode ser, que num primeiro momento, aparentemente nada aconteça. Mas certamente o regime de chuva daquela região irá mudar diminuindo os mananciais de água que abastecem suas lavouras. Pode ser que num futuro próximo a produtividade daquelas terras diminua bastante causando prejuízos ao invés de lucros.

Na jornada espiritual é importante entender a Lei do *Karma* como um guia para inspirar a nossa conduta. Não devemos deixar de fazer as coisas que acreditamos por medo de sofrermos as consequências. Mas por outro lado, é preciso saber que existem sim consequências em todas as nossas ações. No entanto, a mente humana, quase sempre viciada no sofrimento, tende a achar que o *karma* sempre pesa para o lado negativo. E não é bem assim.

As aplicações da Lei do *Karma* não são previsíveis como uma equação matemática. O fluxo age de maneira natural, transcendendo a nossa racionalidade. A imprevisibilidade é um fator a ser considerado em todos os momentos da nossa vida. E se o imprevisto faz parte do jogo, melhor não ficar pensando nisso e viver seguindo os impulsos do coração sem se importar com as consequências.

Obviamente devemos cultivar a autorresponsabilidade. Procurar sempre agir de acordo com a nossa consciência e o entendimento do *Dharma*. Ou seja, perseguir a ação correta ditada pela nossa consciência, mas sem prisões e medos inúteis que acabam nos induzindo, paradoxalmente, ao erro.

A imutável Lei do *Karma*

Se a Lei do *Karma* é implacável, então, por que criar aversões a outras pessoas e fatos que estão regidos por ela? Lutar contra as injustiças, como já foi dito, é até mesmo uma obrigação de cada um, mas sem fomentar o ódio que causa um enorme estrago dentro de nós mesmos.

Para ilustrar a necessidade de lutar contra a opressão, há uma passagem no Bhagavad Gita, um épico da cultura literária védica, em que Arjuna, se preparando para uma batalha, recebe as instruções de Krishna, uma forma encarnada do Deus Vishnu. O exército à sua frente é formado por diversos dos seus parentes, porque essa guerra tem como origem a disputa pelo poder dentro de uma mesma família.

Então o guerreiro Arjuna, diante dos "inimigos" familiares, vacila em seus pensamentos por não achar correto matá-los e também por temer as consequências do *karma*. Mas Krishna, como guardião do *Dharma*, instrui o seu discípulo nesse momento de grande aflição:

"Você está triste por aqueles que não merecem tristeza... Os sábios não se entristecem por aqueles cuja respiração já se foi (os mortos), tampouco por aqueles cuja respiração ainda não se foi (os vivos) ...

Nunca eu existi (no passado), tampouco você ou esses reis. E nós todos não deixaremos de existir no futuro...

Os contatos dos sentidos com os objetos que trazem frio, calor, alegria e tristeza, são de curta duração e impermanentes... Conheça aquilo que é indestrutível, pelo qual tudo é permeado. Ninguém é capaz de causar destruição daquilo que é imutável... Os corpos daquele que habita o corpo (o Ser) e que é eterno, não estão sujeitos à destruição e nem sujeitos ao desaparecimento, portanto lute, Arjuna...

Aquele que considera esse (Eu) como o matador e aquele que o considera como matado, ambos não possuem conhecimento. Este não mata e nem é matado... Este (Eu) não nasce, nem jamais morre e existindo, nunca mais voltará a não existir novamente. O Ser ou Eu não nasce, é eterno e imutável sendo sempre o mesmo. Quando o corpo é destruído, ele (Ser) não é destruído. Como quem conhece este (Ser) como indestrutível, eterno, não nascido, imutável pode matar ou instigar alguém a matar?...

Assim como uma pessoa abandona roupas velhas e põe outras novas, da mesma maneira aquele que habita o corpo (o Ser), abandona os corpos velhos e vai para outros novos...Ele (o Ser) não pode ser cortado, queimado, molhado, nem seco. Ele é eterno, penetra a tudo, sendo firme, imóvel, antigo, mas é o mesmo (Ser)...

Para aquele que nasce, a morte é certa, e para o morto o nascimento é certo. Portanto, Arjuna, você não deve ficar triste por um fato inevitável... Também levando em consideração o seu próprio *Dharma* (dever), você não deve vacilar. Pois para um guerreiro não há nada melhor do que uma guerra justa..."

O interessante desses versos do Bhagavad Gita, é que Krishna convence Arjuna a lutar na batalha, mas sem aversão aos adversários. Krishna ensina mistérios da existência para que Arjuna entenda as razões da batalha que está prestes a enfrentar. Dessa maneira coloca todos os guerreiros perante a mesma lei universal da impermanência. Não há ódio e, portanto, um caminho aberto para a evolução por meio do conhecimento do Ser para todos os guerreiros envolvidos nessa batalha.

Krishna ensina a Arjuna o desapego às glórias da vitória e também aos remorsos provocados pela aversão aos inimigos. Revela para Arjuna como despertar a consciência em meio ao caos de uma batalha. E assim deixa claro que por mais conhecimento que alguém possa obter durante a experiência encarnatória, isso não impedirá que à sua volta guerras e situações desafiadoras aconteçam.

Portanto, esqueça o prêmio no fim da sua jornada de buscador. Porque na realidade não existe fim e nem jornada, mas apenas um fluxo natural de acontecimentos que se sucedem à sua volta, indiferentes às idealizações do seu ego. A diferença está em aprender ou não com esse fluxo existencial. E na minha maneira de ver, o verdadeiro aprendizado é aquele que nos leva para a contemplação do silêncio e que permite nos estabelecermos no vazio, sem apegos e nem aversões.

A experiência viva da Unidade

As principais escrituras sagradas védicas e budistas associam a iluminação humana à Unidade. Isto significa deixar de ver o mundo fragmentado para vê-lo integralmente com todas as suas bem-aventuranças e mazelas. Essa fragmentação acontece devido aos nossos julgamentos constantes de todas as coisas. Queremos dar valor a tudo e esquecemos de olhar para a essência. Essa atividade incessante de julgamentos e, consequentemente, de condenações e absolvições faz de nós eternos juízes do alheio. Assim, acabamos esquecendo de olhar para nós mesmos mantendo sempre a nossa atenção no externo.

Não é preciso alcançar o *nirvana* ou o *samadhi* para podermos experimentar a Unidade. No nosso cotidiano podemos provar a experiência de Unidade em pequenas coisas. Basta observarmos o mundo à nossa volta com atenção. É preciso olhar para todas as coisas sem medo e sem preconceito. Se existe uma flor no seu caminho, é uma manifestação de beleza da Mãe Terra. Mas se você percebe pessoas sofrendo à sua volta, saiba que isso é fruto do *karma*. Na verdade, é uma oportunidade para despertar a sua compaixão e ajudá-las da maneira que for possível. Certamente você encontrará flores e doentes no seu caminho. Luz e escuridão, vida e morte. Mas isso tudo faz parte da Unidade da nossa existência. Assim, o importante é não ficarmos presos a nada, nem às flores e nem às doenças, nem à luz e nem à escuridão, porque todos esses extremos são impermanentes, e, portanto, ilusórios.

O nosso Ser é permanente enquanto a nossa personalidade é passageira. Temos que nos desapegar daquilo que imaginamos ser. Só assim vamos despertar para aquilo que realmente somos. A personalidade existe para podermos nos movimentar nesse plano de dualidade. Mas em algum momento ela será dissolvida pela ação natural do tempo.

Imagine que a sua personalidade seja de um engenheiro que constrói pontes e que trabalha numa grande empreiteira. Com o passar do tempo, o seu corpo naturalmente irá se desgastar e a morte será inevitável. Se você não estiver preparado, acreditará que chegou ao fim. Inclusive, muitos se desesperam na hora da misteriosa travessia da morte por estarem excessivamente apegados ao corpo e, sobretudo, à personalidade.

Mas ser um engenheiro é uma situação passageira. Construir pontes, uma circunstância da personalidade de engenheiro.

Provavelmente numa próxima encarnação a sua personalidade será outra e você não lembrará mais das pontes que construiu. Mas quem sabe poderá precisar atravessar uma daquelas pontes que você construiu para se livrar de uma guerra ou de uma grande inundação?

Isso é o *karma* agindo através das nossas sucessivas encarnações. Nada se perde no processo da existência. As sementes que plantamos darão seus frutos muito além de um tempo limitado que imaginamos. Medimos o tempo por meio da nossa personalidade e da perspectiva de durabilidade do nosso corpo. Mas isso é uma grande ilusão.

CAPÍTULO V

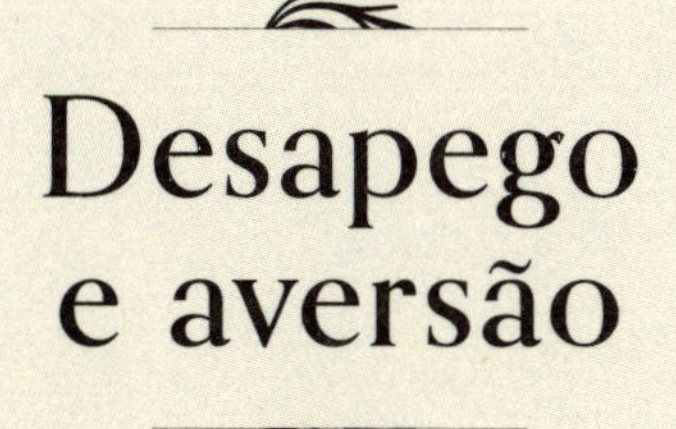

Desapego e aversão

Apesar de parecer paradoxal, essas duas palavras estão intimamente ligadas. Conforme um buscador avança no caminho espiritual, é natural que desapegue de muitas coisas do mundo material e também de sentimentos limitadores. No entanto, o desapego não pode produzir aversão em relação àquilo que foi "desapegado". Se isso acontecer é porque o ego ainda reina absoluto e dominou até mesmo os esforços de evolução.

Parece complexo, mas é fácil de entender. Por exemplo: uma determinada pessoa se desapegou da sua sexualidade; pelos motivos mais variados resolveu canalizar essa energia para outras atividades como a meditação, a yoga, a criatividade, a produtividade etc. Pode ser simplesmente que tenha perdido o interesse pelo sexo ou que seu corpo já não responda aos estímulos eróticos. Não importa. Tudo isso é muito louvável e funcional se esse desapego for conveniente numa etapa da vida daquela pessoa. No entanto, se essa pessoa continua a julgar quem ainda tem uma vida sexual ativa, então não houve desapego nenhum, mas apenas uma fuga de algo que provavelmente ainda está mal resolvido na sua vida. O ego a induziu a se "desapegar" do sexo que continua vivo e ativo na sua mente. Tanto que essa pessoa persiste em observar o comportamento alheio em relação à sexualidade. Pior ainda, fazendo julgamento de valores do comportamento dos outros.

Essa situação lembra uma passagem na vida do Mestre Jesus, narrada no evangelho de Lucas 18:10-14:

> "Dois homens subiram ao templo, a orar; um, fariseu, e o outro, publicano. O fariseu, estando em pé, orava consigo desta maneira: *Ó Deus, graças te dou, porque não sou como os demais homens, ladrões, injustos e adúlteros; nem ainda como este publicano. Jejuo duas vezes na semana e dou os dízimos de tudo quanto possuo.* O publicano, porém, estando em pé, de longe, nem ainda queria levantar os olhos ao céu, mas batia no peito, dizendo: *Ó Deus, tem misericórdia de mim, pecador!* Então disse Jesus: *Digo-vos que este desceu justificado para sua casa, e não aquele; porque qualquer que a si mesmo se exalta será humilhado, e qualquer que a si mesmo se humilha será exaltado.*"

Mooji, um guru contemporâneo jamaicano, escreveu aos seus discípulos algo parecido.

"Se você acha que é mais 'espiritual' andar de bicicleta ou usar transporte público para se locomover, tudo bem, mas se você julgar qualquer outra pessoa que dirige um carro como sendo inferior, então você está preso em uma armadilha do ego.

Se você acha que é mais 'espiritual' não ver televisão porque lhe manipula e mexe com o seu cérebro, tudo bem, mas se julgar aqueles que ainda assistem, então você está preso em uma armadilha do ego. Se você acha que é mais 'espiritual' evitar saber de fofocas ou notícias da mídia, mas se encontra julgando aqueles que leem essas coisas, então você está preso em uma armadilha do ego. Se você acha que é mais 'espiritual' fazer Yoga, se tornar vegano, comprar só comidas orgânicas, comprar cristais, praticar Reiki, meditar, usar roupas '*hippies*', visitar templos e ler livros sobre iluminação espiritual, mas julgar qualquer pessoa que não faça isso, então você está preso em uma armadilha do ego. Sempre esteja consciente ao se sentir superior. A noção de que você é superior é a maior indicação de que você está preso em uma armadilha do ego."

Um outro mestre espiritual que também ensinou sobre as armadilhas do falso desapego foi o Osho. Ele dizia que para alguém que nunca teve dinheiro seria fácil desapegar do dinheiro. Outro que teve vida a sexual frustrada não teria problemas em desapegar do sexo. Mas isso é o verdadeiro desapego?

Veja que as ponderações de Jesus, Mooji e Osho estão conectadas nas suas essências, porque tratam de conveniências momentâneas e não do verdadeiro desapego que é silencioso e absolutamente interior. Quem toca as trombetas para exaltar uma mudança que realizou em sua vida, não mudou absolutamente nada. Na realidade, está se iludindo com o seu próprio personagem ou com a sua "máscara" e não acessou a fonte da transformação verdadeira que é Shiva, Aquele que está estabelecido na transitoriedade de todas as coisas.

Shiva, no panteão de divindades védicas, representa a destruição. Assim, para haver uma verdadeira transformação é preciso que aquele estado mental que ficou para trás seja completamente aniquilado. A destruição de um padrão é que permite a sua regeneração para o surgimento de um novo comportamento. Na realidade, a destruição é apenas um dos passos da transformação que requer um desapego verdadeiro.

Quando uso o verbo "regenerar" me refiro à naturalidade das mudanças e não no sentido moralista dualista de bem e mal. "Aquele sujeito era um ladrão, mas começou a frequentar a igreja e se regenerou." Não é isso. A verdadeira regeneração é muito mais profunda e efetiva nas ações que acabam, inclusive, influenciando outras pessoas.

Neste momento me vem à memória um pouco da história do Mestre Gabriel, fundador da União do Vegetal. Não sou frequentador da UDV, mas as poucas vezes que participei dos seus trabalhos pude sentir a presença espiritual viva do Mestre Gabriel, que me parece um exemplo de regeneração verdadeira.

O baiano teve uma vida mundana até próximo dos 40 anos de idade. Um homem comum com defeitos e virtudes que provou os prazeres e dissabores da vida na sua luta pela sobrevivência. No meu entender, foi justamente essa experiência de mundanidade que o preparou para a sua missão dessa encarnação como o Mestre Gabriel. Afinal, a mensagem que ele transmitiria seria para homens comuns em busca da espiritualidade e não para santos já iluminados. Então ter experimentado as coisas do mundo constitui-se numa vantagem para ele difundir os seus ensinamentos.

Vindo a trabalhar nos seringais da Amazônia, Gabriel teve uma experiência com a ayahuasca; e ali iniciou o seu processo regenerativo profundo que o impulsionou, em menos de 10 anos, a construir e instituir um dos centros espirituais de autoconhecimento mais respeitados do mundo inteiro.

Sob a inspiração da ayahuasca teve contatos mediúnicos com as suas vidas passadas e despertou para conhecimentos que estavam adormecidos no seu espírito havia milênios. Tudo confirmado por uma obra manifestada nos princípios da UDV que alcançou milhares de seus discípulos que tiveram as suas vidas transformadas e regeneradas.

Isto é a regeneração que provoca mudanças na vida do indivíduo e se manifesta em obras que inspiram outras pessoas. Se recebermos esses conhecimentos de maneira desapegada, poderemos trilhar as sendas do autoconhecimento em paz. Assim, estaremos dando passos reais para uma evolução existencial no fluxo das reencarnações.

Mas neste ponto chamo a atenção para um detalhe importante: todos esses processos de desapego e regeneração acontecem naturalmente. Muita gente confunde questões morais como sendo a base para essas transformações. Não é isso nem de longe. Padrões comportamentais e morais estabelecidos não definem a trajetória e a evolução de um verdadeiro buscador. Num plano mais elevado essas regras moralistas de bem e mal, certo e errado etc. não têm importância nenhuma. Como diria o Mahatma Gandhi: "A verdade é divina e a moral é humana".

As aversões

Citando alguns mestres com conhecimentos verdadeiros eu abro a porta para uma reflexão sobre a aversão que pode se infiltrar sutilmente no desapego. Costumo dizer que um verdadeiro mestre ou guru se apresenta para nós no momento que precisamos com suas características adequadas para as nossas necessidades.

Assim, eles podem ter vários nomes, falarem diferentes idiomas, professarem em distintas tradições espirituais, mas sempre serão uma manifestação do nosso verdadeiro Mestre que está dentro de nós. Então esse tipo de tentação de julgar que um é melhor do que o outro, mais verdadeiro, mais sábio, mais iluminado etc. é uma grande tolice.

Se você leu um texto atribuído a um mestre iluminado que lhe despertou, simplesmente lembre-se daquela professora que lhe ensinou a ler. Ou daquele que cozinhou para o mestre iluminado e permitiu que ele tivesse energia no corpo para lhe ensinar. Ou ainda do piloto de avião e da sua tripulação que trouxe o mestre ao lugar onde você vive para dar a palestra que tanto lhe inspirou.

Veja que tudo está conectado. Sem a professora que lhe alfabetizou você não poderia ler os ensinamentos do mestre. Sem os funcionários da companhia aérea não haveria aquela palestra impressionante. Se alguém não tivesse limpado o templo e alimentado aquele ser não haveria um mestre para lhe guiar durante um *satsang* (palestra).

A manifestação de um mestre ou o estudo de uma tradição espiritual não deve gerar aversões e nem minimizar as outras que você não conhece. Tampouco deve desprezar aquelas tradições que você já frequentou um dia e em algum momento deixaram de ser importantes.

Aprendi a rezar na Igreja Católica e tenho um sentimento de gratidão pelos padres que me ensinaram. Depois participei dos trabalhos espirituais dos centros espíritas do Mestre Raimundo Irineu Serra que me mostraram por meio dos hinos e das mirações da ayahuasca um atalho para o meu autoconhecimento. Assim como aprendi a meditar conscientemente na Siddha Yoga, a ler textos védicos numa escola de Vedanta e a despertar o Amor em mim na Linhagem Sachcha.

Vivendo na Amazônia por muitos anos, participei de pajelanças com pajés Katukinas, Puyanawas, Yawanawas, Nukinis e Huni Kuin. Mas nenhuma dessas profundas experiências espirituais que tive me fez criar aversão ao catolicismo. Muito pelo contrário, ainda me benzo ao passar diante de igrejas e cemitérios, porque aprendi por meio de minha mediunidade que nesses lugares ficam muitas almas necessitadas de luz, e o sinal da cruz é uma maneira de enviar energia luminosa restauradora a elas. E quando vou a uma missa comungo normalmente, porque fui iniciado nessa tradição pela primeira comunhão.

Tampouco deixarei de ser um fardado do batalhão espiritual do Mestre Irineu e do Padrinho Sebastião, ainda que participe das pajelanças nas mais diferentes aldeias indígenas. Assim como não vou parar de repetir *Om Namah Shivaya* diversas vezes ao dia porque o conhecimento dos atributos de Shiva foi incorporado ao meu cotidiano.

Sai Baba de Shirdi, um santo que apareceu misteriosamente na Índia entre o fim do século XIX e início do século XX pregava a união entre todas as religiões. Na verdade, na minha visão, Sai Baba de Shirdi trazia a mensagem que a espiritualidade verdadeira tendo origem em qualquer religião levará o seu seguidor ao mesmo lugar: Deus. Esse processo deve acontecer interna e não externamente. Muitos seguidores das mais diversas religiões se apegam a dogmas e comportamentos morais determinados e acabam esquecendo da espiritualidade e do seu principal objetivo. Aí acabam caindo em disputas de egos e vaidades do tipo: "essa linha é mais verdadeira que aquela. Só quem estiver aqui terá salvação. A minha verdade é melhor que a do outro. Tenho um mestre mais sábio", e uma série de outras tolices que iludem o buscador fazendo-o se perder na sua verdadeira jornada.

Não existe exclusão no caminho espiritual, mas incorporação e transmutação. O conhecimento que nos chega de diferentes fontes se transforma conforme vamos evoluindo. Não há nada estático nesse processo. Se olharmos para as nuvens percebemos que elas mudam de forma constantemente, enquanto o céu observa a dança das nuvens. Assim como Shiva Nataraja realiza a sua dança de destruição e regeneração do universo.

Assim, abandone a aversão, seja lá pelo que for. A criação e a destruição estão intimamente ligadas. Não conseguimos controlar o fluxo dos acontecimentos do mundo. Admito que é difícil dominar a nossa atividade mental que analisa constantemente todas as coisas querendo moldar tudo que está à nossa volta para nos dar a falsa sensação de segurança.

Alguém pode questionar: "como não vou ter aversão por um déspota assassino? Ou a um ditador que está infringindo sofrimento a milhares de pessoas?" Realmente é delicado. Mas a existência tem os seus mistérios e nada acontece por acaso. Não estou dizendo que você não deve enfrentar aqueles que oprimem e sufocam outros semelhantes. Não é isso. Mas mesmo enfrentando aquilo que lhe parece uma "injustiça", você não precisa desenvolver a aversão. Porque em algum momento essa aversão poderá se voltar contra você na forma de perturbações da sua paz interior. Em outras palavras, você pode e deve enfrentar a "injustiça", mas se isso se tornar uma obsessão, você estará preso a um processo similar àquele que é o seu objeto de aversão e poderá, inclusive, ser o agente de uma outra injustiça.

Um ditador assassino, na realidade, nada mais é que uma personalidade atormentada e sofredora tentando prevalecer o seu ego sobre os outros. Mas a história tem nos mostrado como terminam esses processos. Hitler causou morte e sofrimento para milhões de pessoas. Ele terminou a sua vida abandonado e teve como único caminho o suicídio. E isso se repetiu em milhares de outros casos parecidos durante a história da humanidade. Não existe um só ditador que tenha acabado seus dias alegre, satisfeito e realizado como o seu ego doentio desejava. O fim é sempre triste e desesperador.

Então, se sabemos que qualquer exacerbação do ego irá terminar de maneira trágica, por que vamos nos apegar à aversão contra esse ou aquele? O fluxo do universo se encarregará de dar uma resposta a essas aberrações manifestadas em algumas personalidades humanas.

Para concluir este tópico: ter participado de tantas tradições não fez de mim um iluminado. Mesmo porque não alcancei o grau mais elevado em nenhuma delas. Mas todas me ensinaram bastante nessa encarnação. E tenho uma gratidão infinita por cada experiência espiritual que tive oportunidade de viver em todas essas linhas que cito nesta narrativa. Assim como agradeço a Dona Alda, minha professora do primeiro ano primário, que me ensinou a ler e escrever.

Indo além das aversões

Testemunhamos seres humanos que usaram a experiência encarnatória para ajudar a outros semelhantes. O Mahatma Gandhi, por exemplo, libertou a Índia do domínio da poderosa Inglaterra sem disparar um único tiro. A sua política de *Satyagraha*, que alguns chamam de não violência, desencadeou um dos processos mais revolucionários da história e alcançou êxito naquele momento.

Satyagraha é uma palavra composta: *satya* significa verdade; e *agraha*, constância. Ou seja, Gandhi acreditava que, firmado na verdade, venceria qualquer obstáculo para libertar o seu país. Da maneira que entendo, Gandhi tinha como propósito que cada indiano despertasse a "verdade" dentro de si para provocar não só uma transformação política externa, mas também uma mudança espiritual interna em cada um dos cidadãos da nação indiana.

Gandhi, em momento algum, incentivou o ódio e a aversão aos colonizadores ingleses. E tem um detalhe ainda mais profundo nessa revolução de *Satyagraha*: enquanto liderava o povo para se libertar do opressor externo, Gandhi não deixava de lutar pela libertação dos indianos dos "inimigos internos" como a divisão do país nas injustas castas sociais e as divergências religiosas entre hindus, muçulmanos e sikhs.

Se por um lado, Gandhi foi bem-sucedido na luta pela independência da Índia, no aspecto interno não obteve o mesmo êxito, tanto que acabou sendo assassinado por um hindu radical que não aceitava a divisão da Índia. Mas a separação da Índia acabou acontecendo por motivos religiosos com a criação do Paquistão, predominantemente muçulmano e, posteriormente também de Bangladesh. Em relação às castas, apesar de oficialmente as leis indianas não reconhecerem mais essa divisão social, na prática, elas continuam a existir em várias partes do país.

Mas mesmo não tendo realizado todos os seus propósitos, não há dúvida de que Gandhi se libertou espiritualmente e deixou um rico legado para a política e a espiritualidade da humanidade. No momento em que recebeu os tiros que o mataram, Gandhi repetiu: Ram Ram Ram (referência a Rama, uma das formas do Deus Vishnu), ou seja, estava consciente da sua conexão com a divindade e da transitoriedade da vida material; ele não estava apegado àquela forma física e nem à sua personalidade, que já havia se tornado conhecida no mundo inteiro.

Um outro exemplo que pode ilustrar a transcendência à aversão daqueles que nos provocam dissabores e sofrimentos nos foi dado por Jesus Cristo. A tradição conta que mesmo na cruz, sofrendo as piores dores físicas, o Mestre Jesus olhou para os céus e rogou: "Perdoai-lhes porque eles não sabem o que fazem". (Lucas 23:34)Alguns cristãos mais fundamentalistas entendem que essa frase: "não sabem o que fazem", refere-se ao fato de estarem matando o Filhos de Deus. Mas eu entendo de uma outra forma. Jesus se referiu à ignorância daqueles homens que o julgaram com parâmetros baseados em dogmas estabelecidos pelo poder judaico daquela época. Porque filho de Deus todos nós somos. Jesus, no meu entender, foi um revolucionário que colocou a lei judaica em xeque. E por que ele fez isso? Para mostrar que o único valor que poderia trazer uma evolução verdadeira àquela sociedade seria o "amor". De que adiantaria uma lei que mandava apedrejar as adúlteras e não contemplasse o amor e o perdão?

O perdão é uma maneira de transcendermos as aversões e de manifestarmos o amor. É o entendimento das nossas falhas e fraquezas e também das dos outros. O perdão verdadeiro começa por nós mesmos. Se não nos perdoarmos não teremos como oferecer o perdão aos nossos semelhantes. Como alguém que não sabe nadar poderá salvar uma pessoa que está se afogando? Isso não é possível. Assim como quem não se perdoa jamais conseguirá perdoar o outro.

João disse aos seus discípulos: "Pensem no grande amor que o Pai tem nos mostrado a ponto de nos chamar a todos de filhos de Deus". Isso prova que Jesus não se considerava o único filho de Deus, obviamente. Ele sabia que todas as criaturas procediam da mesma fonte do Criador. Ele usava constantemente a referência de que ele era "o Filho de Deus" para servir de espelho para os outros também entenderem essa divindade dentro de si.

A aversão pode ainda nos levar por um outro caminho muito perigoso que é a vingança. É muito difícil se livrar de uma aversão estabelecida nos nossos pensamentos, e alguns acreditam que o caminho para se libertar da aversão, que provoca grandes angústias e sofrimentos, é atacando o objeto da aversão. Isto é um grande equívoco, porque a vingança poderá desencadear processos que trarão ainda mais sofrimentos, e não libertação.

Abrindo o caminho para o despertar da intuição

Entender o mecanismo das aversões é importante, se quisermos evoluir durante a nossa experiência encarnatória. Quanto mais abandonarmos as prisões criadas pelas aversões que nos arrastam para o ódio, mais deixaremos abertos os nossos canais para a manifestação da intuição.

Como alguém cheio de aversões e ódios poderá perceber as sutis manifestações da intuição? Isto é impossível, porque o ódio é pesado e sobrecarrega o nosso sistema mental e físico. Na verdade, esse é um sentimento que se confunde com a obsessão capaz de nos cegar de toda a bem-aventurança no nosso interior.

Então, para resumir, liberte-se conscientemente das tentações das aversões que, na maioria das vezes, são um vício do pensar. Como já foi dito, não será fácil, mas continue tentando. Quando perceber uma situação que lhe provoca aversão, procure enxergar todos os lados daquele fato ou daquela pessoa. Tente compreender o mal que está ali. Ou até mesmo procure ver se aquele mal não é resultado de uma autoprojeção. Porque pode acontecer de estarmos projetando coisas não resolvidas no nosso interior para o exterior. E sempre é mais fácil culpar o outro ou aquilo que acontece à nossa volta do que empreender uma viagem interior e olhar com os olhos da verdade para as nossas falhas e limitações.

Mas se realmente aquilo que está provocando aversão é algo ruim, então enfrente-o. Lute para que haja transformação, mas sem ódio. Porque se o ódio predominar, você também estará envenenado por aquilo que está lhe fazendo mal e não haverá libertação. Você sucumbirá à sua aversão e não conseguirá seguir adiante na sua experiência encarnatória.

Saiba que vencer a sua aversão significa conseguir uma vitória contra si mesmo; só depois é possível emanar algo positivo e transformador às pessoas e situações desafiadoras que apareceram e ainda aparecerão na sua vida. Bloqueado por aversões, não há como acessar o canal mais puro e límpido que existe em você, que é a intuição.

CAPÍTULO VI

O tempo cósmico e o tempo psicológico

Um dos maiores mistérios da existência é o tempo. Tanto que desde que nascemos, a civilização incute na nossa mente uma medida para o tempo. Acabamos nos moldando a esse modelo e sofremos, muitas vezes, por falta de tempo ou pela culpa de estarmos desperdiçando o tempo. Acabamos entendendo o tempo como passado e futuro e esquecemos do presente. Essa medida temporal nos leva sempre para acontecimentos já ocorridos ou para expectativas do que ainda não aconteceu. E quase nunca estamos fixados no tempo presente. Assim, da maneira que entendemos o tempo, sempre estamos onde não estamos. Mas tudo não passa de um jogo psicológico para enganar o nosso verdadeiro fluxo existencial.

O passado e o futuro provocam medo, e a nossa mente usa esse medo para forjar a tentativa de um controle que não existe. É assim que esse jogo mental, baseado num tempo imaginário, nos afasta da percepção do nosso verdadeiro Ser, que existe no presente eterno. O medo desencadeia processos de sofrimentos que nos ocupam totalmente, nos afastando da realidade da existência. Ficamos como Dom Quixote de la Mancha lutando contra dragões imaginários, cegos em relação aos nossos verdadeiros "inimigos".

Esse é o tempo psicológico, que nada mais é do que uma projeção mental aprisionada por segundos, minutos, horas, dias, meses, anos, séculos, milênios etc. Mas, na realidade, o tempo psicológico simplesmente não existe. É apenas uma fantasia da nossa mente que tenta ordenar aquilo que é totalmente desordenado e livre.

Por outro lado, por meio da meditação, da contemplação, da mediunidade, das plantas de poder e de outros tantos meios, podemos despertar a percepção para o tempo cósmico, que não pode ser medido. Nem o maior numeral concebido pela mente humana seria capaz de mensurar o tempo cósmico. O que são bilhões de anos comparados com a eternidade? O tempo cósmico e a eternidade são a mesma coisa.

O tempo cósmico não pode ser medido, pois extrapola qualquer número concebido pela mente humana. Por ser eterno, já está além de qualquer limite, se tornando uma percepção sutil que não pode ser descrita nem por palavras e nem por números. É um suspiro que nos leva para a nossa fonte primordial da criação e nos liberta das amarras da nossa mente, que é uma criadora incessante de significados. E a eternidade está livre de significados e sistemas mentais.

Uma das maneiras de conectar-se com a eternidade ou com o tempo cósmico é por meio da entoação da letra primordial do alfabeto sânscrito *OM*. A repetição do *OM* associada com a inspiração e a expiração pode nos dar um *insight* dessa dimensão ilimitada da eternidade. Você pode fazer essa experiência para ver o resultado: feche os olhos, respire profundamente e depois libere o ar ao som de *OM*, deixando-o vibrar por todo o seu corpo. Conforme esse som vai se expandindo se transformará em *Ahum* naturalmente no final. Emita os sons e os ouça. Você pode repetir o *OM* concentrado, seguido do suspiro *Ahum*, por cinco vezes, e depois simplesmente silencie e observe a sua respiração. Deixe os pensamentos virem e irem sem apegar-se a eles. Simplesmente observe-os...

Pela prática do silêncio é possível contemplar o tempo cósmico. Se usarmos a potência imaginativa da nossa mente como um veículo para nos transportar à criação do mundo ou à sua destruição, poderemos vislumbrar a eternidade. Perceberemos o incriado e o indestrutível, porque a criação e a destruição são dois lados da mesma realidade de impermanência. Esse é o tempo cósmico que transcorre alheio à nossa vontade e aos nossos desejos, sem controle e sem medidas para contê-lo.

Uma observação importante: a nossa mente é uma ferramenta que tanto pode ser usada para nos aprisionar como para nos libertar. É você quem decide o uso que irá fazer. Se você dá poder ao fluxo de pensamentos que surgem incessantemente provavelmente estará preso numa teia esperando a aranha chegar para devorá-lo. Mas se você utiliza a sua mente para se projetar ao infinito sem temer as consequências, estará dando passos em direção à sua libertação.

O interessante é que no sistema ocidental de entender as coisas, se você tem a ousadia de livrar-se do emaranhado de significados criados pela mente, provavelmente será considerado louco. No entanto, é no vazio onde não existem nem pensamentos, nem julgamentos e nem formas é que você poderá encontrar a sua libertação e acessar o tempo cósmico.

Uma das maneiras mais simples de percebermos esse tempo cósmico é por meio do sono profundo. Quando conseguimos alcançar um grande relaxamento, poucos minutos de sono parecem uma eternidade. Na verdade, não é que pareçam uma eternidade, mas sim que são *insights* reais da eternidade. Quantas vezes não acontece de dormirmos profundamente, e quando acordamos dizermos: "perdi a noção do tempo". É exatamente perdendo a noção do tempo que acessamos o tempo cósmico.

A meditação de Shiva que curou o Universo

Neelkanth é um dos aspectos do Senhor Shiva, que pode nos ensinar muito sobre o tempo cósmico e a eternidade. Durante um embate entre deuses védicos e demônios (*asuras*) houve uma perturbação na ordem do mundo, e do fundo do Oceano foi liberado pelos *asuras* uma imensa quantidade de veneno chamado *Halahala* que seria capaz de envenenar todo o universo causando a sua destruição. Os deuses então pediram ao Senhor Shiva, considerado o mais poderoso entre eles, que interviesse para salvar o universo da destruição.

Atendendo ao apelo dos deuses, o Senhor Shiva saiu do Monte Kailash, onde vivia, e mergulhou até o fundo do Oceano, colocou a sua boca na fenda de onde o veneno fluía e o bebeu todo, impedindo o envenenamento do universo pelo *Halahala*. Como esse veneno era muito poderoso, Shiva o reteve na sua garganta, que imediatamente ficou azul, para que não se espalhasse pelo seu corpo divino. Na sequência Shiva foi para um lugar nos Himalaias, chamado de Neelkanth, onde passou milhões de anos em meditação para poder transmutar todo o veneno que ingeriu em néctar.

Se a gente usar a abstração da realidade material e imaginar esses "milhões de anos" do Senhor Shiva meditando para transmutar o *Halahala*, poderemos ter um *insight* do tempo cósmico. Podemos olhar para dentro de nós e contemplar esses milhões de anos num suspiro da nossa respiração em menos de um segundo.

Assim como Shiva, nós também temos a capacidade para transmutar o veneno que surge na nossa vida e que se manifesta por meio de doenças físicas e perturbações psicológicas e espirituais. Mas para isso é preciso ter paciência e buscar o conhecimento de si mesmo. Se uma situação desfavorável se apresenta, em vez de entrarmos em desespero, fazendo com que aquele mal se alastre rapidamente por todos os nossos corpos físicos e astrais, podemos, como Shiva, tentar retê-lo em algum ponto da nossa mente para transmutá-lo gradativamente. Para isso, devemos procurar um lugar onde possamos nos aquietar enquanto o mal se dissipa pela ação natural do tempo cósmico.

No nosso dia a dia é possível transmutarmos todo o veneno que ingerimos no ciclo das encarnações despertando a nossa consciência. E a meditação é um atalho para alcançarmos esse intento. Visualize o Senhor Shiva sentado sobre as montanhas de Neelkanth, nos Himalaias. Concentre-se na sua respiração e repita mentalmente *Shivo'Ham* (Eu sou Shiva). Não tenha medo, e seja o próprio Shiva, porque na verdade você é Ele e todas as manifestações divinas do universo...

Transformando o veneno que está dentro de nós, poderemos nos libertar daquilo que nos mantém presos à mente e ao mundo dos sentidos materiais. Para esse processo acontecer é importante que estejamos cientes dos venenos que absorvemos no nosso cotidiano e que adoecem o nosso sistema físico e psicológico. Só assim buscaremos caminhos para realizar a transmutação.

Foi isso que Shiva fez: meditou enquanto o veneno perdia a sua potência ao longo do tempo cósmico. Esses milhões de anos a que a história contada nos Puranas se refere não passam de uma alegoria para nos inspirar a paciência e a concentração no nosso Ser interior que é tão poderoso quanto Shiva, porque na realidade esse Ser que nos habita é Shiva. É como diz um dos mantras mais poderosos dos shivaístas: *Shivo'Aham* (Eu sou Shiva).

Ainda utilizando a referência de Shiva Nilakantha, quando conseguimos meditar profundamente perdemos a noção do tempo. Isso porque nesse estado estamos além do tempo cronológico, e então as nossas transformações internas ocorrem naturalmente transmutando os venenos inoculados pela nossa mente. É comum as tradições utilizarem sinos para nos chamarem de volta da meditação, porque no momento em que se está realmente meditando, ninguém vai ficar contando o tempo com um relógio. Simplesmente o meditador se abandona na prática sem referência nenhuma de tempo.

Esse é um caminho poderoso para nos livrar de muitos males. Quando me refiro à meditação, não estou me restringindo apenas a essa prática de se sentar na postura de lótus, com as mãos em mudra, a coluna reta e a atenção na respiração. Pode ser isso também, mas existem infinitas maneiras de a meditação se manifestar. Caminhando, dançando, cantando, expandindo a consciência por meio de plantas de poder, contemplando e por aí vai. A meditação é um estado natural presente a todas as coisas e que nos conecta à eternidade. Só devemos encontrar os meios para despertá-la.

Um povo sem referência de tempo

Os indígenas da etnia Puyanawa, que vivem no extremo ocidental da Amazônia, no estado do Acre, há poucos anos passaram por um forte processo de retomada da sua cultura ancestral. Descobriram o lugar onde o seu povo vivia quando foram escravizados e arrastados por coronéis latifundiários para trabalharem na lavoura. Esse ponto de origem dos Puyanawa, no meio da Floresta Amazônica, recebeu o nome de Aldeia Sagrada.

Mas entre tantas descobertas, os índios mais velhos da aldeia, filhos dos moradores da Aldeia Sagrada, fizeram uma revelação surpreendente: o povo Puyanawa ancestral não tinha referência de tempo. Viviam no fluxo da eternidade sem nenhum tipo de medida para determinar segundos, minutos, horas, dias, meses e anos. Estavam livres dessas amarras e conectados ao tempo cósmico. Talvez se guiassem pelo movimento do Sol, da Lua e das estrelas. Mas não colocavam medidas nesse movimento celestial.

Era um povo livre vivendo em sintonia com a natureza. Acredito que os Puyanawas antigos eram muito evoluídos e tinham conhecimentos preciosos que se perderam no processo de aculturamento imposto pelos coronéis escravistas. Usavam plantas de poder para se conectarem com o universo e seguiam no fluxo existencial sem qualquer tipo de amarra. Possivelmente, até mesmo por essa liberdade, foram escravizados. Um índio vivendo na floresta jamais imaginaria qual o interesse que alguém teria em privá-lo da sua liberdade.

Se não tinham medidas para o tempo, menos ainda entenderiam a estúpida mania da civilização ocidental de dar valor a tudo e de desejar poder para controlar outras pessoas. Realmente para que serve isso? Se o fluxo universal não tem controle, como se pode querer controlar outros seres humanos e escravizá-los? Isso só tem sentido para mentes adoecidas enredadas pelo medo da morte física, porque o desejo de acumular bens materiais e almejar o poder sobre os outros não deixa de ser uma fuga para tentar enganar a morte do corpo e da personalidade da qual ninguém pode escapar.

Mergulhados na Eternidade

Certa vez assistindo a um *Satsang* de Gurumayi Chidvilasanda, a Guru Siddha, fez uma afirmação que nunca mais esqueci: "somos peixes nadando no Oceano perguntando onde fica o Oceano". Essa é a nossa realidade. Vivemos mergulhados na eternidade buscando a eternidade. Deus habita dentro de nós e estamos o tempo todo buscando a conexão com a divindade. Por que esse desconhecimento da nossa verdadeira realidade?

A primeira resposta que me vem à cabeça é a nossa ignorância sobre nós mesmos. Damos muito mais atenção às coisas externas do que às internas. Olhamos para fora, mas nos esquecemos de olhar para dentro de nós mesmos. Só nos preocupamos em empreender a viagem interior quando somos abalados por algum tipo de dor, doença, situações de sofrimento intenso ou quando a morte se aproxima. Aí procuramos Deus desesperadamente, implorando misericórdia. Como Deus é uma realidade interior, mesmo que seja no último minuto da nossa vida, se O procuramos Ele irá se manifestar para nos dar a oportunidade de entendermos o motivo daquele sofrimento.

Nunca é tarde para no despertarmos à realidade divina. Os hindus costumam dizer que se um indivíduo, mesmo no seu último suspiro antes da morte, repetir o nome de Deus, nas suas infinitas formas, poderá se liberar das amarras que o prende ao mundo e ao sofrimento. Existe até uma parábola irônica, muito popular na Índia, sobre essa preocupação dos hindus em repetir o Nome no derradeiro instante.

Contam que um comerciante hindu muito rico, sentindo a aproximação da morte, reuniu todos os seus filhos em torno dele. Ele sabia que teria que se concentrar no Nome de uma divindade, provavelmente Rama, para alcançar a liberação e tinha se preparado para isso. No entanto, como possuía muitos negócios, ao ver os seus descendentes ladeando o seu leito de morte, manifestou a sua preocupação sobre a continuidade dos seus empreendimentos depois da sua partida.

Assim, por alguns instantes o comerciante hindu esqueceu o foco em repetir o Nome no seu último suspiro e passou a dar instruções aos seus filhos sobre os negócios que ficariam. Só que enquanto os orientava para que cuidassem da loja e do dinheiro que tinha no banco, a morte chegou e o levou falando de negócios sem lhe dar tempo de repetir o Nome Sagrado de Rama.

Essa história mostra a importância do autoconhecimento advindo das nossas práticas espirituais. Não há nenhum pecado em dedicar parte da sua vida ao desenvolvimento profissional e à prosperidade para viver bem, mas é fundamental que haja espaço na sua vida para também observar o seu mundo interior, que alguns chamam de espiritualidade. É como um treino para quando chegar a hora de se desapegar do corpo você não fique preso à sua personalidade, que é a manifestação de tudo aquilo que você conseguiu ou não durante o período encarnado.

Esse apego à personalidade talvez seja até mais forte do que a identificação com o corpo. Porque muitos acreditam ser aquilo que construíram durante a vida. Os conhecimentos recebidos, os títulos alcançados, a reputação moral e o acúmulo de riqueza nos iludem sobre quem é que realmente somos. Muito além de sermos doutores, médicos, escritores, ricos e pobres, nós somos verdadeiramente o Ser que nos habita. Todas essas outras coisas são figurações que compõem a nossa personalidade.

Então para não cometer o engano do comerciante hindu, é importante que façamos uma auto-observação diária daquilo que realmente somos, porque em algum momento o desapego à nossa personalidade e ao nosso corpo será fundamental para nos libertamos das amarras que nos prendem a esse mundo material de tanto sofrimento.

A "passagem" consciente

Os seres que alcançaram uma evolução espiritual real nessa encarnação orientaram os seus discípulos sobre a importância de entender e se preparar para o momento do desapego do corpo e da personalidade. O Mestre Raimundo Irineu Serra, no seu hinário instrutivo "O Cruzeiro", deixou várias pistas para os seus devotos sobre esse assunto.

Um dos hinos do Mestre Irineu ensina:

A morte é muito simples,
Assim eu vou te dizer,
Eu comparo a morte
É igualmente ao nascer

Depois que desencarna
Firmeza no coração
Se Deus te der licença
Volta à outra encarnação

Na terra como no céu
É o dizer de todo mundo
Se não preparar terreno
Fica espírito vagabundo

Nesses versos, o Mestre, que concebeu a Doutrina do Santo Daime, que faz uso da ayahuasca para acelerar o processo meditativo e mediúnico dos seus fiéis durante as sessões espirituais, revela o seu aprendizado sobre a morte. E dessa forma procura instruir os seus discípulos sobre esse fato do qual ninguém pode fugir.

Mais adiante, no seu hinário, o Mestre Irineu recebeu outras instruções sobre a passagem espiritual:

A minha Mãe me trouxe
Ela deseja me levar
Todos nós temos a certeza
Deste mundo se ausentar

Eu vou contente
Com a esperança de voltar (reencarnar)
Nem que seja em pensamento
Tudo eu hei de lembrar

Estes cantos de "O Cruzeiro", do Mestre Irineu, mostram com naturalidade esse momento temido por todo ser humano. Mas perto do fim da sua vida encarnada, consciente da proximidade da sua morte, ele continuou a ensinar:

Eu pedi, eu pedi, eu pedi
Eu pedi Mamãe me deu
Para me apresentar
Ao Divino Senhor Deus

E às vésperas de desencarnar, o Mestre Irineu recebeu o seu derradeiro hino:

Pisei na terra fria
Nela eu senti calor
Ela é quem me dá o pão
A minha Mãe que nos criou...

Do sangue da minha veia
Eu fiz minha assinatura
Meu espírito eu entrego a Deus
E o meu corpo à sepultura

Um outro médium discípulo do Mestre Irineu e do Padrinho Sebastião, o Lúcio Mortimer, passou por um processo muito sofrido para abandonar o seu corpo. Mesmo consciente de ter uma doença incurável no plano físico, a leucemia, Lúcio manteve-se fiel aos ensinamentos que recebeu da Doutrina Espírita e Eclética do Santo Daime. Durante o seu padecimento manteve a sua meditação nos conhecimentos espirituais recebidos e, pouco antes de desencarnar, apresentou aos seus irmãos dois cantos mediúnicos reafirmando a sua fé na Doutrina à qual dedicou grande parte da sua vida:

"Deus de Misericórdia, Meu Pai Soberano, Me dê a Vossa Mão nas provas que estão passando. Dai-me a paciência que o gosto é de fel, seja feita a vossa vontade na terra como no céu. Assim é a nossa vida alegrias e sofrimentos, agradeço pela vez de estar nesse padecimento. Crescei a minha tinha fé, dai-me a conformação, precisa ter firmeza e entender a transformação. Eu estou em pé firme, firmado no meu lugar, que tudo aqui passado seja para Vos louvar."

Poucas horas antes de fazer a sua passagem espiritual recebeu um outro canto inspirado pela gratidão:

"Posso cantar, alegrias da vida, a certeza de ser um filho estimado. Agradeço a São João, meu mestre querido, que bom ter ouvido o seu chamado. Sigo contente, Jesus vai comigo no meu coração, é o melhor amigo. Sou filho da terra, nela pequei, na Santa Doutrina me iluminei. Todo louvor na Soberania, que a nossa Rainha é quem nos guia. Triunfo maior vai no coração, de quem quer ouvir e seguir a instrução."

São Francisco de Assis, pressentindo a transitoriedade do seu corpo, tomado de dores lancinantes, recebeu alguns versos para confortar os seus discípulos, realizar a sua passagem espiritual consciente. No Cântico das Criaturas o Mestre de Assis diz:

"...Louvado seja meu Senhor, pela nossa irmã a morte corporal, da qual homem algum pode escapar...felizes os que ela achar, conforme a tua santíssima vontade, porque a segunda morte não lhes fará mal algum".

Francisco de Assis se refere à morte como uma irmã, porque estava com a sua consciência meditativa desperta na eternidade. No seu processo evolutivo já havia superado o medo do fim por saber que não existe fim, mas uma ilusão de morte forjada pelo apego à matéria corporal e à personalidade. Essa é a consciência que afasta o medo daquilo que Francisco de Assis chama de a "segunda morte" que não pode causar mal algum para quem está desperto.

Alguém pode argumentar que a consciência da morte é algo mórbido e pode gerar uma preocupação inútil. Mas é exatamente o contrário. Estar consciente da impermanência do nosso corpo e da nossa personalidade abre importantes caminhos para podermos viver melhor neste mundo. Por que deveríamos nos preocupar com algo que é imutável?

Existe um trecho da Oração da Serenidade muito utilizado nas reuniões dos Alcoólicos Anônimos (AA) que pode nos orientar sobre essa questão.

"Deus, concedei-me a serenidade, para aceitar as coisas que eu não posso modificar, coragem para modificar aquelas que eu posso e sabedoria para perceber a diferença entre elas."

Estas palavras simples são plenas de sabedoria e nos mostram um caminho preciso para conduzirmos a nossa vida encarnada neste plano material.

CAPÍTULO VII

O medo do espelho interno

Um obstáculo poderoso para trilharmos o caminho do autoconhecimento é o medo. Temos receio de olharmos para dentro e encontrarmos dores mal resolvidas, fantasmas do passado que continuam a nos assombrar e pânico pelas incertezas do futuro. Assim, buscamos nos anestesiar com o mundo externo com os seus prazeres e distrações, mesmo que isso provoque muito mais sofrimento do que o mergulho interior.

Procuramos distrações para não termos que olhar para dentro. Fugimos de nós mesmos durante grande parte da vida, e quando a morte se apresenta, não estamos preparados e entramos em desespero por não termos consciência de que a nossa existência é eterna.

Nesse sentido, a religiosidade, em alguns casos, atrapalha muito o despertar da consciência cósmica por meio do autoconhecimento. Essa afirmação é paradoxal, porque muitas religiões tentam convencer os seus fiéis de que a saída para todo o sofrimento está no futuro, num lugar chamado "paraíso"; elas prometem que todos os nossos "infernos" e misérias nesta vida encarnada simplesmente desaparecerão no prometido "paraíso".

Nada contra as religiões, mas o problema é que a maioria das pessoas entendem a religião de maneira supersticiosa, um toma lá dá cá. "Vou ser bonzinho, fazer todos esses rituais, seguir as orientações desse pastor, padre, médium, mestre, ou seja, quem for, para poder chegar ao paraíso." "Se não sou feliz nesta vida certamente serei na outra."

Agora, veja só a contradição. Quando perguntaram a Jesus onde estaria o Reino dos Céus, que equivale ao paraíso prometido pelas religiões cristãs, ele respondeu: "dentro de vós". Note que Jesus não falou dentro do templo, da igreja, do centro espírita ou seja lá onde for. Jesus disse apenas, "o Reino dos Céus está dentro de você, meu amigo". Então se estiver procurando fora o que está dentro, será uma busca inútil, e você acabará se frustrando e sofrendo ainda mais.

Esperar por promessas de uma vida melhor depois da morte é tolice, porque não há separação nenhuma durante o processo de existir. O nascimento, a infância, a maturidade, a velhice, a morte e a reencarnação fazem parte da mesma existência. O Senhor Krishna disse a Arjuna: "No corpo de um indivíduo estão contidas a infância, a juventude e a velhice. Assim, da mesma maneira, se dá a aquisição de outro corpo (reencarnação)".

É importante perceber que neste verso do Bhagavad Gita, Krishna destaca as transformações temporais do corpo, mas não fala da morte e sim da troca de corpos; porque o processo é uno e contínuo, sem separação. Os estados corporais (infância, juventude, velhice, renascimento...) vão se sucedendo naturalmente sem interrupção.

A realidade é que estamos mergulhados na eternidade indissolúvel. Aquilo que conhecemos como morte é só mais uma passagem entre estados existenciais. Não existe permanência entre esses estados, como a nossa mente nos quer fazer crer. Para existir velhice é necessário ter existido a infância e a juventude, assim como, para haver renascimento a troca de corpos precisa acontecer.

Então desperdiçamos parte do nosso precioso tempo de uma reencarnação temendo um "fim" que não existe. Nós nos angustiamos e, muitas vezes, deixamos de viver por medo da morte. Ficamos esperando a inevitável decomposição do corpo que habitamos. Pior ainda é o pavor da dissolução da nossa personalidade, porque pensamos ser esta o que realizamos durante o reduzido tempo de uma encarnação e nada podemos fazer para mudarmos esse destino, ao qual estamos condenados de nascimentos e mortes.

Agora, se já sabemos que o nosso corpo e a nossa personalidade irão desaparecer, para que tanto sofrimento? A impermanência é uma das leis imutáveis da existência, então devemos aproveitar a vida aceitando-a e aprendendo com ela. Não tem para onde correr, porque tudo está em constante mudança no mundo, tanto fora como dentro de nós.

Mas se, pouco a pouco, vamos nos convencendo da unidade entre todas as fases contidas na existência, a nossa intuição começa a despertar e a se tornar mais presente em nossas vidas. Assim, podemos seguir aproveitando a paisagem dessa viagem existencial sem criar expectativas em relação ao futuro e nem apegos ao passado. E a intuição vai se tornando uma guia segura para andarmos nesses insondáveis caminhos da vida.

"...E quando eu tiver saído para fora do seu ciclo,
tempo, tempo,
não serei nem terá sido,
tempo, tempo, tempo,
ainda assim acredito ser possível reunirmos,
tempo, tempo, tempo,
num outro nível de vínculo,
tempo, tempo, tempo,
portanto peço-te aquilo, e te ofereço elogios,
tempo, tempo, tempo,
nas rimas do meu estilo
Tempo, tempo, tempo"

Oração ao Tempo
(CAETANO VELOSO)

Despertando os nossos Guias Divinos

Os grandes Seres que irradiam a luz de conhecimento e Amor para o planeta e a humanidade também podem ser acessados pela mediunidade. Nesse caso o médium consegue estabelecer uma comunicação por meio de práticas espirituais constantes (*Sadhanas*) com esses Seres e aos poucos vai se iluminando. Buda dizia que não precisava de seguidores e sugeria aos seus discípulos que se tornassem iguais a ele. Jesus Cristo aconselhava aos seus devotos que nascessem de novo e procurassem o Reino dos Céus dentro de si; assim como Shiva deixou o mantra *Shivo Aham* (Eu sou Shiva) para os yogues se tornarem Um com a sua Divindade.

Então é possível alcançar o permanente estado Desperto por meio das pistas deixadas por esses grandes Seres. Essa era a vontade deles, e a promessa irá se cumprir para todos os buscadores, assim como todos os rios chegarão ao Oceano. O trabalho que os médiuns realizam com os seres de vibração mais baixa é caridade. E o trabalho realizado para se conectar com os Seres Iluminados é autoconhecimento. Mas o mais importante é conseguir merecimento (*punya*) e dar seguimento à jornada em busca do verdadeiro Ser que habita cada um de nós.

Vitória do Amor

Um dos grandes obstáculos para se acessar a mediunidade é o medo. Muitos associam os contatos com espíritos (ou seres) desencarnados com a morte. Estão tão convictos de serem um corpo e uma personalidade, que quando se deparam com a iminência de perdê-los acreditam estarem diante do fim. Assim, entram em desespero. Mas quando trilha-se o caminho do autoconhecimento fica fácil ter a consciência de que o corpo é apenas um estágio da existência e a personalidade uma construção ilusória que irá se dissipar na eternidade. Portanto, não há nenhum motivo para temer o contato com irmãos e irmãs que estejam em outro plano, contanto que esse trabalho seja feito de maneira desinteressada objetivando o Amor e a caridade.

Somente o Amor é quem pode vencer o medo. E para se acessar o Amor verdadeiro é preciso desapego, porque o medo sempre está associado à perda, e só perde quem possui alguma coisa. Se conseguires alcançar o entendimento de que da mesma maneira que chegas a este mundo sem nada, partirás sem nada também, então terás a consciência de que é impossível possuir alguma coisa. Tanto a posse quanto o medo da perda são ilusões criadas pela mente. "Não é possível possuir nada que não seja o Si próprio", como dizia Ramana Maharshi.

A ideia de posse é mais uma parte do jogo de pensamentos forjado pela mente; e por essa ilusão muita gente sofre durante o período de encarnação. Acham ser possível ter, possuir, ser proprietário, dono de alguma coisa. Desenvolvem o apego a uma ideia que se desvanecerá no último suspiro que um dia o corpo vai dar.

Isso não quer dizer que alguém precisa viver como um *sadhu* ou um mendigo. Mas mesmo tendo recursos para ter uma vida confortável é preciso estar ciente de que esse estado de conforto material é passageiro. Mesmo conquistas espirituais quando quantificadas e materializadas são ilusórias. Porque no plano do Ser não existe mais ou menos, vitória ou derrota, certo ou errado. O Ser unifica todas as coisas no seu silêncio universal, transcendendo qualquer palavra ou explicação intelectual ou espiritual. O que sobra é a intuição para se alcançar esse estado de quietude e desapego.

Os nossos descendentes somos nós mesmos

Desde o momento que encarnamos por ocasião do nascimento, a ampulheta do tempo vira de ponta-cabeça e a areia da vida começa a escorrer em direção à dissolução. Nos períodos das diversas fases da infância dificilmente a pessoa tem noção dessa lei inexorável da existência corporal. Um neném ou uma criança não tem noção de que a qualquer momento o sopro da vida no seu corpo poderá migrar para outras paragens por meio da morte. Essa consciência vai se moldando juntamente com a personalidade em construção durante a vida social.

Assim, enquanto a pessoa vai construindo a sua personalidade os medos vão surgindo naturalmente, e todos eles estão ligados diretamente à morte corporal. Por mais formas que o medo adquira, sempre a sua origem estará ligada à morte. Por exemplo, o medo de perder tudo e ficar pobre ou não conseguir vencer a pobreza. Isso é um reflexo inconsciente de que sem a alimentação necessária ou os recursos para pagar uma boa medicina o indivíduo estará sujeito a abreviar o seu tempo na matéria.

Uma outra situação muito comum é que, às vezes, a pessoa se apega a um relacionamento destrutivo e não é capaz de se libertar. Por que, se aquilo está lhe fazendo tanto mal? Medo da solidão é a resposta. E esse medo também está associado à morte. Nas suas armadilhas a mente projeta situações ideais. Ou seja, imagine se uma pessoa fica doente e não tem ninguém para cuidar dela. Imediatamente vem à memória uma situação de abandono, que é um passo certeiro em direção à morte.

Um dia conversando com um jovem amigo depois de um trabalho espiritual, ele me disse que não temia a morte, mas tinha pavor de ficar sozinho. O que esse meu amigo não percebeu é que ele está irremediavelmente sozinho, mesmo tendo mulher, filhos, irmãs, irmãos e amigos. Ninguém chega e nem parte desse mundo acompanhado. A solidão, ou solitude, como alguns mestres dizem, é inerente à existência humana. Por mais companhia que se tenha, sempre seremos nós conosco mesmos. Cada um consigo e Deus com todos, como diz um ditado popular.

Mas a boa notícia é que tudo está conectado numa infinita unidade cósmica. Então, numa irônica contradição misteriosa, apesar de estarmos sempre sozinhos na nossa essência existencial, estamos ao mesmo tempo acompanhados de todos e de tudo que existe no Universo.

Para a maioria dos seres humanos, possuir riquezas e estar cercados de outras pessoas que supostamente os amam representa a segurança de estar prolongando a vida do corpo e da personalidade. Só que a realidade não é essa. Desde que encarnamos não existem garantias de quanto tempo estaremos por aqui. Isso, num primeiro momento, pode parecer um pensamento mórbido, mas, ao contrário, saber que vamos morrer é, na verdade, uma libertação que torna ainda mais interessante o nosso tempo de vida aqui neste plano.

Obviamente não estou falando da morte como uma fuga para os fracassos da vida, como fazem os suicidas. Um dia conversando com uma jovem adolescente que tinha tentado se matar, eu disse para ela o seguinte:

"Olha, garota, a morte virá de qualquer maneira. Então por que você está tentando antecipar o processo? Aproveite para conhecer a vida enquanto a morte não chega. Não existe nada melhor para a gente fazer nesse momento. Por mais tristezas e frustrações que você tenha tido nesse curto tempo de vida, optar por tentar abreviá-la não é inteligente. Você está numa viagem existencial, aproveite a paisagem. Essa dor que você sente neste momento vai desaparecer assim como um dia o seu próprio corpo. Os momentos de prazer e alegria que você certamente terá também irão desaparecer. Tudo vai desaparecer, então deixe a natureza seguir o seu curso."

Mas existe algo que não vai desaparecer. E isso vale a pena a gente investigar. A consciência que afirma que tudo desaparecerá irá permanecer muito além da vida corporal. Mesmo que com outras referências a vida irá continuar a fluir muito além do planejado pela nossa mente limitada. Então vamos deixar de cegueira, usemos os nossos olhos para enxergar o mundo externo com suas cores, luzes e paisagens. E vamos nos educar para acessarmos a nossa visão interna para podermos observar a jornada do nosso espírito viajando pela eternidade.

Também devemos ter o entendimento de que somos uma corrente sucessória existencial que vem se prolongando desde tempos imemoriais. Cada um de nós tem dentro de si a presença dos nossos pais, avós, bisavós e assim por diante, infinitamente. Tanto a nossa matéria física quanto espiritual são formadas pela ação dos nossos ancestrais. As sementes que eles plantaram continuam a germinar em nós num misterioso processo de transformação e evolução.

Os nossos antepassados fazem parte do nosso Ser. E os nossos descendentes seremos nós mesmos. Não existe uma planta que tenha sido gerada espontaneamente; para que ela possa existir é preciso que haja uma semente que foi gerada em algum momento por outra planta. Assim acontece também com a humanidade. Nós vivemos e morremos para gerarmos a luz da vida que dá sustentação a toda a criação que nos cerca.

CAPÍTULO VIII

Médiuns entre nós

Alguns *jivas* que alcançaram durante a encarnação a consciência do verdadeiro estado de existência continuam a trabalhar espiritualmente em benefício da humanidade mesmo depois de deixarem o corpo. Não estou falando de seres especiais, iluminados ou não, mas da continuidade da jornada de autoconhecimento além do corpo. Muitos desses seres continuam a servir aos seus semelhantes. Eles já foram médiuns e continuam a atuar entre os encarnados para ensinar.

Ao longo da minha atual encarnação, tive a oportunidade de ter contato direto com muitos seres desencarnados que continuam a trabalhar pelo despertar das pessoas. Alguns eu conheci ainda encarnados, mas a maioria desses meus guias já estavam desencarnados quando eu tive contato com eles. Essas manifestações aconteceram de diferentes maneiras, para me contatar ou usar a minha mediunidade conforme suas instruções espirituais.

Uma médium que sempre esteve muito próxima a mim e já deixou seu corpo foi a Baixinha. Um aparelho espiritual que recebia o Caboclo Tupinambá e depois ampliou seu trabalho mediúnico pelo uso ritual da ayahuasca na linha do Santo Daime do Padrinho Sebastião. Não fui um frequentador assíduo dos trabalhos da Baixinha, mas todas as vezes que estive com ela, sentia uma aliança espiritual que se confirmou ser mais forte ainda depois que ela abandonou seu corpo físico.

Em muitas situações de aflição física e espiritual que vivi senti a sua presença. Mesmo depois que desencarnou, a Baixinha continuou a me ajudar, e acredito que a muitos outros também. Senti que dela vinham comunicações essenciais para me libertar de situações espirituais incômodas as quais eu não entendia por que estavam acontecendo. A Baixinha sempre trouxe esclarecimento de uma maneira muito simples, humilde e com uma firmeza impressionante. Por meio das suas atuações pude desatar nós espirituais à minha volta e seguir em frente como um buscador da verdade. O interessante é que nessa minha relação mediúnica com a Baixinha recebi instruções tanto quando ela ainda estava no corpo, mas não próxima de mim materialmente, quanto já desencarnada.

Num trabalho mediúnico no Céu da Montanha, em Visconde de Mauá, alguns anos atrás, senti a presença da Baixinha e do Caboclo Tupinambá, que trabalhava com ela. A Baixinha ainda estava encarnada e trabalhava no seu Centro em Luminar (RJ). Uma médium desavisada fazia uma preleção dentro do Centro evocando espíritos sofredores e despertando culpa e medo nos médiuns presentes. No momento que a médium falava comecei a sentir um incômodo muito grande. Então senti a presença da Baixinha. Com a autoridade dada pelos guias, confrontei aquela fala que arrastava as pessoas para um lugar escuro e sofrido.

A manifestação espiritual que veio por intermédio do meu aparelho físico dizia mais ou menos o seguinte: "Não é preciso chamar os sofredores para a sessão. Eles virão naturalmente conforme a necessidade e os desígnios da espiritualidade. O importante é se firmar na claridade do Amor Divino. Conceder o perdão a si próprio para iluminar também aqueles que chegam com as suas dores. Cada um tem Deus vivo dentro de si. E isso é uma força e um poder muito grande. O sofrimento vem da ignorância. Os julgamentos, o medo, o pecado e a morte. Cada um encontrando o seu ponto de equilíbrio o fluxo da existência iluminará aqueles espíritos que aqui chegam precisando de entendimento e paz. O Amor tudo transforma e desperta a verdade dentro de cada um de nós. O autoconhecimento forma uma corrente invisível capaz de absorver toda a dor e sofrimento e para transmutá-los em entendimento e libertação."

Obviamente essa atuação com um discurso no trabalho não agradou a médium desavisada que fazia a sua preleção. Houve uma reação. Ela retrucou as falas ditadas pelos meus guias; mesmo porque ela teve o seu ego confrontado. Nesse momento recebi a instrução de sair do salão onde acontecia o trabalho. Do lado de fora a comunicação veio muito mais claro ainda: "Você já cumpriu o seu papel sendo instrumento dos Guias Espirituais que aqui estão trabalhando, agora, silencie. Certamente vão tentar lhe atacar. Mas fique tranquilo que nada vai lhe atingir". Assim aconteceu, mas naquele estado nenhuma palavra ou sentimento negativo era capaz de me atingir; eu estava bem firmado com o Caboclo Tupinambá que se apresentou para mim por intermédio da sua médium Baixinha.

Outro que conheci encarnado e também se manifestou algumas vezes para mim como guia espiritual em travessias delicadas foi o Lúcio Mortimer, já citado num capítulo anterior deste livro. Ele era um *hippie* viajante que chegou ao Acre, no fim dos anos 70, e se tornou discípulo do Padrinho Sebastião Mota de Melo. O Lúcio percorreu profundamente os caminhos da mediunidade abertos nos rituais do Santo Daime. Utilizou as plantas de poder para despertar a sua consciência e deixou um rastro de luz com os cantos que recebeu no seu Hinário "A Instrução".

Tive a oportunidade de fazer alguns trabalhos de cura com o Lúcio, na linha do Padrinho Sebastião, e partilhar da sua amizade. O interessante é que a primeira vez que tive um contato espiritual com o Lúcio ele estava encarnado e eu não só não o conhecia, como nunca tinha ouvido falar dele. Eu estava na casa de um *hippie* nas montanhas de Nova Friburgo (RJ), e não sei exatamente como cheguei ali.

O fato é que depois de um ritual com a Santa Maria (*cannabis*), num entardecer, começaram a cantar alguns hinos do Lúcio revelando todo o poder de iluminação dessa planta misteriosa tão discriminada por ignorantes moralistas. Lembro-me que aqueles hinos expandiram meus canais mediúnicos e pude contemplar um conhecimento intuitivo que estava muito além das palavras, mas que me trazia um enorme conforto e um profundo entendimento sobre e existência. Perguntei ao meu anfitrião de quem eram aqueles hinos; a resposta: Lúcio Mortimer.

Fui conhecer o Lúcio pessoalmente em Boca do Acre (AM) quando eu estava a caminho do Céu do Mapiá, em 1993. Ele tinha paixão por literatura e conversamos sobre Carlos Castañeda, que era editado pelo selo Nova Era da Editora Record, que eu dirigia, naquela época, e também sobre os livros que o Lúcio estava escrevendo que acabaram por ser publicados um pouco antes de ele desencarnar em 2006.

Posteriormente, nos encontramos no Céu da Montanha num trabalho de cura. No dia seguinte fui visitá-lo na casa do Orlandinho, um outro amigo médium que já desencarnou, e conversamos bastante. O interessante é que aquela casa onde o Lúcio estava hospedado acabou sendo minha alguns anos depois.

Senti a presença do Lúcio Mortimer diversas vezes em trabalhos espirituais depois que ele desencarnou. Acredito que como a Baixinha, o Lúcio continua a trabalhar mediunicamente, mesmo depois de desencarnado, para orientar os buscadores na linha do Santo Daime. Sempre a sua presença traz alegria e conforto. É um professor com quem os buscadores podem contar. Inclusive, o Lúcio viveu o seu processo de desencarne dando provas do conhecimento espiritual que adquiriu por meio de hinos vivos que contam a sua experiência de transformação.

Outro médium que conheci ainda encarnado e depois recebi o auxílio da sua presença "pós-corpo" em trabalhos espirituais e situações cotidianas foi o Padrinho Corrente.

São incontáveis as vezes que o Padrinho Corrente me ajudou. Mas uma ocasião em que a sua interferência me marcou bastante foi durante um período que passei em Brasília (DF), trabalhando como redator numa campanha política. A disputa eleitoral tinha ido para o segundo turno e eu estava na dúvida em continuar trabalhando mais um período ou voltar para a minha casa nas montanhas.

Numa noite que eu tinha ido dormir na casa de uma amiga, acordei me sentindo muito mal. A princípio, achei que era algo que eu teria comido que não caíra bem. Mas quando fui para o banheiro com a respiração ofegante senti a presença do Vô Corrente, como carinhosamente muita gente o chamava. Ele me deu então uma instrução bem clara para que me afastasse daquele ambiente "saturado" das disputas do poder político em que me encontrava. Mentalmente concordei com o Padrinho Corrente, fiquei bom na hora e voltei para o quarto. Quando me deitei novamente, pensei: "Isso é imaginação minha. Essa história não tem nada a ver com mediunidade. Vou sim permanecer trabalhando aqui em Brasília, porque afinal o dinheiro que irei receber é muito bom e vale os sacrifícios". Mais uma vez comecei a passar mal e voltei para o banheiro. Para encurtar a história, essa "luta" entre acreditar na instrução do guia que se apresentava ou optar pelos meus interesses financeiros se repetiu diversas vezes naquela noite. Até que, finalmente, aceitei a instrução caridosa que eu recebia e decretei mentalmente de maneira definitiva que no dia seguinte eu iria embora e deixaria a campanha. O mal-estar me abandonou imediatamente com a minha decisão e realmente, no dia seguinte, peguei as minhas coisas e voltei para as montanhas.

Pode parecer sem sentido essa história que mistura uma situação profissional banal cotidiana e uma manifestação mediúnica. Mas a verdade é que realmente aquele tempo que eu estava passando em Brasília em função do trabalho estava me arrastando para "vícios" que eu já tinha abandonado. Todo aquele ambiente político me levava de volta para um padrão do "pensar", que poderia me trazer sérias consequências num futuro próximo.

Na sequência dos acontecimentos, voltei para as montanhas e me encontrei com o Padrinho Alfredo num feitio do Daime, em Mauá. Ele me convidou para acompanhá-lo numa viagem para um seringal no Vale do Rio Juruá, entre os estados do Acre e do Amazonas. Aceitei o convite e empreendi uma jornada por esse rio amazônico que trouxe profundas transformações na minha vida.

Na volta do Seringal, recebi o convite de um jornalista amigo que morava em Cruzeiro do Sul (AC), a porta de entrada da região do Juruá, para permanecer na cidade e ajudar na instalação de uma emissora de rádio. No Vale do Juruá, pude exercer minha profissão de jornalista e ter um contato mais próximo com os povos da floresta, índios e ribeirinhos. Trabalhando como comunicador nessa emissora de rádio, que ajudei a estruturar, pude harmonizar minha profissão com o estudo dos conhecimentos espirituais da Amazônia. Não tenho dúvidas de que a decisão tomada em Brasília, sob a influência espiritual do Padrinho Corrente, foi essencial para encontrar um novo propósito na minha vida em sintonia com a Rainha da Floresta.

Num outro momento da minha vida recebi o auxílio de mais um médium que tinha conhecido na matéria. O médico José Alberto Rosa havia se curado de um câncer fazendo uso de plantas de poder e trabalhos espirituais. Ele acabou se tornando uma figura presente nos trabalhos espirituais do Céu da Montanha e mais adiante reuniu um verdadeiro rebanho de buscadores nos Estados Unidos onde atuava como médium e médico.

Confesso que eu não nutria muita simpatia pelo Zé Rosa, como era chamado pela irmandade do Santo Daime. As motivações dessa antipatia eram as mais "bestas" possíveis. Uma troca no comando do Centro do Céu da Montanha entre o Alex Polari, que é muito meu amigo, e o Zé Rosa deixou algumas coisas mal resolvidas e me contaminei por falatórios inúteis e sem sentido entre médiuns daquele centro a respeito dessa situação.

Mas o fato é que o Zé Rosa, depois de sua passagem espiritual, se apresentou para mim por duas ocasiões. Numa delas ele me perguntava as razões de eu falar sobre ele coisas as quais não conhecia. Eu mesmo não entendia essa minha postura estúpida, porque o Zé Rosa, seja em trabalhos mediúnicos ou na vida social, sempre me tratou muito bem e com respeito; inclusive tínhamos tido muitas conversas sobre o poder curativo dos cristais, já que o Zé Rosa tinha um livro sobre o assunto publicado pelo mesmo selo editorial que eu dirigia naquela época.

Nessa primeira conversa pelo canal mediúnico, entendi que o Zé Rosa não estava preocupado com a reputação da sua personalidade, mesmo porque já não estava entre nós. Na verdade, a minha intuição me dizia que ele estava me dando uma instrução para prestar atenção nas palavras que proferimos tanto sobre irmãos encarnados como desencarnados. Mesmo porque, num caso assim, o maior prejudicado é quem está usando o poder das palavras de maneira insana e maledicente e não o objeto dos comentários.

A outra manifestação da presença mediúnica do Zé Rosa foi num momento mais sério. Eu andava tendo alguns problemas com pedras nos rins que me causavam uma dor insuportável. Na primeira vez, cheguei a pensar que estava realmente desencarnando diante daquele sofrimento na matéria. O fato é que quando tinha essas crises com pedras nos rins acabava indo para o hospital para tomar remédios à base de morfina para acalmar as dores.

Numa noite, há uns poucos anos, eu tinha ido à casa de uma amiga em Rio Branco e comido um grande pedaço de bolo recheado com todos os tipos de açúcar que se pode imaginar. Uma "larica" poderosa como a gente costumava chamar esses quitutes nos meus tempos de *hippie*.

Cheguei em casa muito cansado, fui me deitar e dormi rapidamente. Umas horas depois, acordei passando muito mal. Como eu tinha tomado um copo de vinho, achei que aquele mal-estar era causado pelo álcool, mas aquela pequena quantidade de vinho estava longe de ser a causa daquele padecimento. Fui ao banheiro, entrei debaixo do chuveiro e comecei a meditar, como já descrevi em outras partes deste livro. Nada daquela agonia passar, e as coisas começaram a se complicar com os meus batimentos cardíacos acelerados e dificuldade para respirar. Não consegui permanecer em postura de lótus e deitei-me no chão do banheiro implorando para que aquela "peia" passasse, porque eu já não estava aguentando. Nem vomitava e nem ficava bem. Quando já estava no limite do suportável, ouvi uma voz no meu canal mediúnico: "Entrega o açúcar que você vai ficar bom".

Na hora pensei comigo: "entrego até o meu corpo inteiro para a eternidade se essa agonia passar". Imediatamente depois desse pensamento comecei a me sentir melhor. Aí começaram as dúvidas e as negociações com aquele médium do Astral que se apresentava para me ajudar.

A primeira reação é sempre achar que aquela conversa mediúnica é fruto da imaginação. Então no instante que melhorei pensei comigo: "pode ter sentido essa história de abandonar o açúcar", mesmo porque eu tinha lido o livro *Sugar Blues* e sabia dos malefícios da substância, mas um segundo depois comecei a negociar. "Não vou mais comer doces, mas o açúcar no café não vou dispensar." Pronto, o mal-estar voltou novamente.

Essas idas e vindas entre a cura e o mal-estar se repetiram diversas vezes enquanto eu "negociava" o meu apego ao açúcar com o médium que se apresentava para me ajudar. Até que finalmente decidi com todas as forças do meu corpo e do meu pensamento que conseguiria viver sem não mais consumir o açúcar. Imediatamente fiquei bem e pude voltar a dormir um sono profundo cheio de gratidão pelo auxílio do médico do Astral que havia me visitado naquela madrugada.

No dia seguinte peguei um táxi, e conversando com o motorista, ele me contou que tinha passado uns dias no hospital por causa de pedras nos rins. No meio da conversa, ele me disse que o médico dele o teria aconselhado a abandonar o açúcar de vez, porque era um dos fatores principais a causar a formação das pedras nos rins.

Inacreditável! Do nada o motorista tocou nesse assunto algumas horas depois de eu ter passado muito mal por ter ingerido uma grande quantidade de açúcar e também ter problemas com a formação de pedras nos meus rins. Quando cheguei em casa fui meditar e aí então pude saber que o médico do Astral que havia se apresentado para mim na noite anterior era realmente o doutor Zé Rosa. Essa confirmação me veio de uma maneira tão clara, que nunca tive a menor dúvida sobre a sua presença para me ajudar.

Um dos médiuns que mais me impressionaram na Linha do Santo Daime foi o Germano Guilherme. Um humilde agricultor que viveu entre o início do século XX e desencarnou em 1964. Ele foi um dos principais companheiros do Mestre Irineu na missão de reunir um povo para tomar o Daime e desenvolver a mediunidade.

Germano foi um *bhakta* yogue perfeito, alguém totalmente voltado para o amor divino. Ele recebeu uma série de cantos elevados da espiritualidade que louvam a Criação. Germano tinha uma enorme ferida na perna direita, que sangrava, e o atormentou durante os seus últimos anos de vida encarnado. Segundo relatos que ouvi, Germano Guilherme atribuía esse problema ao fruto de um *karma* de uma vida passada quando teria sido um cruel senhor de escravos e teria maltratado um deles queimando a sua perna. Por isso, dizia aos membros da irmandade do Alto Santo que não seria possível encontrar a cura física para essa doença.

Mas se Germano Guilherme não curou seu corpo durante a encarnação, certamente alcançou grande elevação espiritual e realizou a cura mais importante como mostra o seu Hinário "Vós Sois Baliza". Esse testamento espiritual de Germano Guilherme é um primor de beleza com melodias e palavras sublimes capazes de nos despertar para novos planos da nossa consciência amorosa.

Agora, o que impressiona é a simplicidade de um agricultor que, dentro da espiritualidade, se tornou um rei da sabedoria e da devoção ao Amor Divino. Isso mostra que a verdadeira mediunidade não está relacionada com comportamentos e padrões pré-estabelecidos. Ninguém precisa ser letrado para ler as lições de vida e amor impressas no Astral.

"Meu Pai foi quem me deu, para mim essa missão, e eu digo a todos que prestem bem atenção. De Vós eu recebi, como amor no coração, estou aqui e vivo aqui, encostado aos meus irmãos. Esta estrela que nos guia, é de junto da Virgem Maria, é ela quem me clareia esta luz, e dela que me vem o dia. Esta estrela que nos guia, é para eu bem reconhecer, é de onde vem esta força, que é deste Divino Poder"

(Meu Pai

GERMANO GUILHERME*)*

O despertar da consciência mediúnica

A mediunidade pode ser despertada através de infinitos caminhos. Não existe uma fórmula para que isso aconteça. Cada médium vive a sua própria experiência para alcançar esse estado de consciência mediúnica. Não existe previsibilidade de quando alguém vai acordar para essa realidade sutil. A mediunidade pode ser, inclusive, ignorada por muitas vidas, mas certamente uma hora irá despertar.

Para exemplificar como esse processo mediúnico pode se manifestar, conversei com uma das médiuns mais antigas e atuantes da Doutrina do Santo Daime. Ela construiu no Céu do Mapiá, no meio da Floresta Amazônica, juntamente com outras médiuns, uma

Santa Casa para curar os necessitados por meio de terapias naturais que incluem fortemente a mediunidade.

Clara Shinobu Iura nasceu em São Paulo (SP), há 72 anos, numa família de imigrantes japoneses tradicionais. Na juventude se rebelou contra os costumes rígidos familiares e caiu no mundo. Na década de 70, viveu todas as experiências que surgiram no seu caminho e quebrou paradigmas pré-estabelecidos pela "moralidade" da sociedade.

Estudou filosofia na universidade, e nesse tempo não acreditava em Deus. Morou em casas abandonadas e bebia muito álcool. Chegou ao limite da desesperança e entrou numa depressão profunda. Teve pensamentos suicidas, mas em um encontro casual com as artes no Museu Lazar Segall, durante uma oficina aberta para a criação de esculturas com barro, vislumbrou um novo começo para a sua vida.

Na sequência, viveu uma experiência com o diretor de teatro Mario Piacentini, recém-chegado a São Paulo do Ashram de Osho, na Índia. Clara resolveu participar de um trabalho de meditação dinâmica na linha de Osho que abriu seu canal de percepção sutil do universo.

"Depois da meditação teve um momento em que o terapeuta colocou uma foto do grande Osho na minha frente e mandou eu jogar meu corpo para trás. Depois de várias tentativas eu consegui e imediatamente, naquele momento, fiz uma regressão da minha vida para quando eu tinha três meses de idade. Comecei a chorar como um bebê. Me veio uma lembrança de uma queda que eu tive naquela época que ficou no meu inconsciente. Quando voltei desse processo, parecia que eu estava vendo todas as coisas como se fosse a primeira vez na minha vida: as árvores, o céu e comecei a perceber a aura das pessoas.

Passei a ouvir vozes dentro de mim. Era a revelação de algo que eu não acreditava. Mas tudo que eu via e ouvia acontecia. A minha intuição mandava eu fazer coisas e comecei a pôr a mão nas pessoas para interpretar os dramas que causavam as suas doenças. Atuando guiada pela minha intuição, curei as doenças de muita gente. A verdade é que era tudo novo, porque aconteciam coisas inusitadas na minha vida.

Então a mediunidade é essa abertura que veio para mim desde que nasci e que eu não tinha consciência. Assim como os xamãs que levam uma vida comum sem terem o menor conhecimento dos seus dons, mas que, de repente, um acontecimento inesperado abre um universo novo e as coisas começam a acontecer. Por meio da intuição começam a chegar todos os atributos que já estão dentro de cada um deles que se relacionam com a mediunidade.

Uma vez o Padrinho Sebastião me disse para ajudá-lo com uns problemas que estavam acontecendo na sua comunidade. Ele disse de maneira veemente para eu colocar para fora os meus dons mediúnicos que estão dentro de mim há milênios; porque esses conhecimentos nós trazemos da nossa ancestralidade.

Portanto, como eu vejo, ser médium é ter essa ligação com o Cosmos sendo um meio para fazer a conexão com os espíritos. A partir daí surge uma facilidade de se conectar pela capacidade intuitiva e da entrega a Deus; essa relação da gente se religar pelo amor e pela doação ao outro. À medida que o médium vai tomando consciência dessas faculdades, abre-se um universo para se conectar com diferentes formas de energias. Isso é a mediunidade aberta, atributos forjados pelo nosso *karma* ao longo de várias encarnações."

O escudo da oração

"No princípio era o Verbo, e o Verbo estava com Deus, e o Verbo era Deus".

(João 1:1)

A oração é uma maneira de acordar Deus dentro de nós. Na cultura védica essa evocação do nosso divino interior é chamada de mantra. Em sânscrito, *man* significa mente; e *tra*, limpeza. Então mantra é a limpeza da mente para abrir os caminhos à manifestação de Deus; é exatamente a mesma coisa que oração ou reza.

Você pode rezar pensando numa forma como Jesus, Buda, Shiva, Parvati, Nossa Senhora, Iemanjá etc. Mas também pode orar projetando-se no vazio além de qualquer forma. O importante é estar concentrado na sua respiração e esvaziado de pensamentos externos, porque o resultado será o mesmo.

Uma outra questão é fazer a evocação da divindade de maneira silenciosa, por meio da mente, ou emitindo sons pronunciando as palavras da oração. Nas minhas experiências essa segunda forma é mais eficaz, porque quando emitimos o som com convicção e fé a mente estanca por alguns momentos o fluxo de pensamentos e se foca no som emitido. É possível ainda rezar ou fazer *japamala* (repetição de mantras) usando todo o corpo.

Veja como os judeus rezam no Muro das Lamentações, em Jerusalém, onde já estive, balançando todo o corpo e a cabeça. Ou os dervixes sufis que entram num rodopio cósmico concentrados em palavras sagradas do Alcorão. Tem ainda os cantos da Umbanda e do Candomblé que são orações cantadas assim como os hinos evangélicos, católicos e das religiões ayahuasqueiras.

Não existe nada mais poderoso do que fazer uma oração com convicção, fé e, sobretudo, vazio de intenções. A divindade sabe daquilo que precisamos, e o mais importante é manter a concentração nas palavras que estão sendo repetidas. Não é preciso ficar preso ao propósito da oração que pode desviar o foco de evocar por meio das palavras a força e a energia restauradora daquela ação. Melhor não pensar em nada e se concentrar fortemente em cada som emitido pela boca.

Na Siddha Yoga eu aprendi que mesmo quando repetimos uma longa oração, apenas uma sílaba bem pronunciada já terá o efeito esperado de acordar a divindade dentro de nós. O importante é entrar no fluxo da reza e se entregar completamente. Eu gosto de repetir as palavras de uma oração e deixá-las vibrar por todo o meu corpo. A sensação que eu sinto é de desobstrução dos meus canais internos e esvaziamento da mente.

Para quem atua com a mediunidade, a reza é um dos principais instrumentos de proteção. Porque ela cria um campo astral favorável à presença de espíritos luminosos que chegam para auxiliar o médium na sua tarefa de doutrinação. A evocação de palavras sagradas cria um escudo para quem atua diante de uma legião de espíritos nem sempre bem-intencionados.

Eu mesmo vivi uma experiência que pode ilustrar bem o poder da oração. Alguns anos atrás eu estava na casa de um amigo, um músico espanhol muito conhecido, no norte da Catalunha, na Espanha. Resolvemos fazer um trabalho espiritual numa noite de verão europeu com ayahuasca, porque esse meu amigo estava passando por alguns problemas pessoais que o estavam afetando psicologicamente.

Estávamos apenas eu e ele na vastidão daquelas montanhas, num lugar bastante isolado, próximo à fronteira de Andorra. Iniciamos a sessão espiritual com um pequeno altar improvisado na varanda da sua casa numa noite de lua cheia. Eu conduzia o trabalho cantando e rezando enquanto meu amigo permanecia concentrado de olhos fechados numa confortável cadeira ao meu lado.

Num determinado momento recebi uma comunicação astral de que deveria entrar na casa e esconder algumas espadas e punhais que meu amigo tinha como objetos de decoração. Na hora não entendi muito bem a razão daquela instrução, mas segui o comando da intuição e tirei da vista aquelas "armas brancas" e continuei a cantar enquanto meu amigo parecia uma estátua completamente imóvel na sua cadeira.

Num determinado momento, a respiração do meu amigo tornou-se muito forte e ele começou a gemer e a choramingar baixinho. Eu apenas o observava e continuava firmado nos meus cantos e mantras que iam se repetindo. De repente ele soltou um grito arrepiante, se levantou abruptamente e chutou a mesa do pequeno altar à nossa frente.

Quando senti aquela atuação pavorosa, em vez de ir em sua direção, mantive meus olhos fechados, firmei-me no meu lugar e comecei a rezar em voz alta. Enquanto eu entoava o Pai-Nosso e a Ave-Maria, o espírito que tomou o corpo do meu amigo entrou na casa em busca daquelas "armas brancas" que eu havia escondido intuitivamente. Voltou enfurecido para a varanda onde fazíamos o trabalho balbuciando palavras num idioma estranho e bastante agressivo.

Eu via tudo de olhos fechados sem me mover. Obviamente que senti medo, mas em vez de deixar me levar, acelerei o ritmo da minha reza e as palavras saíam da minha boca num tom de evocação para que os espíritos de luz se manifestassem para protegerem a mim e ao meu amigo completamente possuído por aquela "coisa estranha". Eu rezava, rezava, rezava sem me mover e cada vez com mais fé e autoridade.

Num determinado momento aquele espírito trevoso que ocupava o aparelho do meu amigo partiu para cima de mim na tentativa de me agredir. Chegou a um palmo do meu rosto e pude sentir a sua respiração. Mas aí aconteceu um dos fenômenos místicos mais impressionantes da minha vida. Aquele espírito malfazejo tentava me tocar, mas não conseguia. E a minha oração cada vez mais forte assim como a minha respiração. Eu estava completamente absorto no trabalho mediúnico protegido pelas palavras luminosas que entoava.

Depois de várias tentativas de socos e agressões que pararam no ar sem me tocar, o corpo do meu amigo arrefeceu e se colocou de joelhos na minha frente enquanto eu seguia rezando sem parar. Então aconteceu algo realmente incrível: a sua respiração desacelerou e ele colocou a cabeça nos meus joelhos como que rendido por aquele poder luminoso evocado pela reza. Então começou a chorar como um bebê manifestando a dor e o sofrimento de várias encarnações.

Comecei a cantar hinos do Santo Daime que evocavam o amor e o perdão enquanto meu amigo se acalmava sem entender muito o que tinha acontecido. Depois de um tempo, ele voltou para o seu lugar e continuamos a sessão por mais um tempo tendo como testemunhas os espíritos de luz que correram em nosso auxílio e a lua majestosa que brilhava no céu da Catalunha.

Fechei o trabalho quando senti que as coisas estavam controladas. Meu amigo se dirigiu a mim num abraço amoroso manifestando uma gratidão infinita. No dia seguinte fomos tomar um banho numa cachoeira que ficava próxima dali e ele me contou o que havia se passado com ele durante aquela sessão espiritual.

No seu relato, ele dizia que havia tempos vinha tendo sonhos estranhos. Coisas ligadas a assassinatos, violências e situações de aberrações sexuais. Ele acordava com fortes dores de cabeça e sentindo uma enorme angústia que acabavam atrapalhando o seu cotidiano. Segundo ele, durante a sessão que realizamos esse "ser" que já o acompanhava por um tempo começou a se incomodar com os cantos e as orações e tentou tomar o seu aparelho. Ele conseguiu resistir por alguns momentos, mas não tinha forças para rechaçar aquele espírito que acabou ocupando o seu corpo e partiu contra mim.

Com o campo de proteção criado pelos Guias Espirituais que me acompanham, aquele espírito se rebelou e tentou uma última cartada para tomar de vez o corpo e a mente do meu amigo. Como não conseguiu o seu intento, com a força das orações e a luminosidade do trabalho que realizávamos, esse espírito o abandonou. No depoimento do meu amigo foi como se tivesse se libertado de uma influência malévola que o acompanhava. Sentia-se mais leve e seguro para seguir com a sua vida e o seu inspirado trabalho de músico.

Depois daquela sessão, meu amigo participou de outras com diferentes médiuns e nunca mais aquele espírito trevoso voltou a incomodá-lo. Esse talvez tenha sido um dos trabalhos espirituais mais fortes que já realizei no auxílio de outras pessoas, mas também uma oportunidade de aprendizado enorme. O que parou e doutrinou aquele espírito sofredor que queria me agredir foi o poder da oração e a fé nos meus Guias Espirituais.

Mas nessa história toda tem um detalhe que me chamou a atenção: depois que aquele espírito chutou com violência o pequeno altar que estava à nossa frente, com um pequeno crucifixo, uma imagem de Santa Cecília, uma foto do Padrinho Sebastião e uma garrafa de ayahuasca, eu vi tudo espatifado; cheguei a sentir os meus pés molhados com a ayahuasca que escorreu da garrafa quebrada. Mas quando abri os olhos, no fim do trabalho, nada havia se danificado; a garrafa estava intacta e a imagem de Santa Cecília, cheia de frágeis detalhes, em perfeito estado.

Luzes infinitas nos Himalaias

Na minha primeira viagem à Índia vivi diversas experiências mediúnicas. Estando em Rishikesh, no Norte do país, fui visitar a Caverna de Vashista, às margens do Rio Ganges. Era um lugar pequeno e apertado, iluminado por velas onde havia um pequeno altar com a foto de um yogue que havia vivido ali em silêncio por muito tempo. Havia outros visitantes dentro da caverna e um movimento de gente conversando.

Senti uma energia muito forte dentro daquela caverna e me sentei num canto mais escuro em postura de lótus para meditar. Depois de um tempo, os visitantes se retiraram ficando apenas eu e o meu amigo Karl Baba na caverna. A minha meditação expandiu-se, e comecei a ter visões com a vívida sensação de estar além do meu corpo.

Nesse voo espiritual, comecei a observar as montanhas dos Himalaias. Então tive a visão de milhares de outros yogues meditando profundamente em uma infinidade de outras cavernas dos Himalaias. Alguns ainda estavam encarnados nos seus corpos, mas a maioria deles não tinha mais corpos. Eram apenas seres emanando luz para a humanidade.

Cada yogue em meditação era um ponto iluminado no vasto espaço daquelas montanhas majestosas. Assim, das sombras das cavernas dos Himalaias, uma luminosidade restauradora permeava todas as coisas se expandindo para todo o planeta. Uma emanação luminosa resistindo à dor e ao sofrimento de milhões de pessoas perdidas nas suas próprias existências.

Eu estava completamente absorto pela meditação, e a visão daqueles yogues harmonizados na árdua tarefa de iluminar a humanidade me provocou uma sensação, ao mesmo tempo, de esperança e liberdade. A consciência daqueles seres estava além da própria missão que realizavam. Simplesmente estavam ali espalhados pelos Himalaias realizando o *Dharma* da entrega e do desapego em benefício de todos os organismos vivos da nossa Mãe Terra. Sem nomes, sem identidades, sem personalidades, sem histórias, sem corpos e sem desejos, os yogues apenas meditavam formando uma luminosa corrente regeneradora.

Quando abri os olhos, ainda em meditação, o meu rosto estava banhado por lágrimas. Sentia uma gratidão infinita por tão auspiciosa visão real da verdadeira realidade da existência. Eu e meu amigo Karl Baba saímos da caverna e fomos para o *Ganga* nos banharmos. Um êxtase profundo se apossou de todo o meu ser e comecei a dançar e a cantar sobre aquelas pedras margeando o Rio Sagrado.

As tentações da mediunidade desperta

Como já falei, o bem e o mal num plano maior estão interligados na Unidade. Mas também já foi dito neste livro que a Lei do *Karma* é infalível numa simbiose natural entre a ação e a reação em todos os nossos atos. E por que estou lembrando e reforçando esses dois aspectos?

Quando despertamos a nossa mediunidade, devemos redobrar os cuidados com as nossas atitudes. O maior erro que um médium pode cometer é se achar especial. Essa vaidade poderá levá-lo a cometer erros que podem ter consequências imprevisíveis.

A palavra-chave para fazermos um bom uso da mediunidade é autorresponsabilidade; não usar essa faculdade, sob hipótese nenhuma, para conseguir vantagens financeiras ou sexuais, porque, quando isso acontece, alguém será prejudicado.

Primeiro, porque a mediunidade deve ser utilizada para o autoconhecimento. Mas, se por meio desse dom for possível ajudar a outras pessoas, não só não existe problema nenhum como é até louvável. A caridade espiritual desinteressada é uma virtude que atrai boas energias para todos.

Nas palavras do mais importante médium brasileiro, Chico Xavier: "nunca somos tão pobres de bens materiais e espirituais que não possamos doar alguma coisa ao companheiro necessitado, seja o pão ou palavra de consolo e solidariedade".

No entanto, quando o médium manipula a mediunidade para realizar seus desejos pessoais, as coisas começam a tomar outras dimensões. É importante sempre lembrar-se da máxima dos espíritas kardecistas: de graça recebes e de graça darás.

Posso afirmar que quanto mais recebemos do universo, mais testados seremos; e com a mediunidade não é diferente. As oportunidades surgem para um médium ajudar a outras pessoas naturalmente, mas isso deve acontecer de maneira desinteressada e desapegada dos frutos da ação. Como dizia o Mestre Jesus: "não deixe a mão direita saber o que a esquerda está fazendo".

Usar a mediunidade para auxiliar quem precisa é uma obrigação e não existe nenhuma glória nisso; mesmo porque o maior beneficiado é quem está ajudando. Mas essa ajuda deve ser dada da maneira mais silenciosa possível. De preferência, o médium deve simplesmente esquecer as pessoas que ajudou. Se a vaidade se misturar ao canal mediúnico, muitos problemas surgirão.

É preciso que haja a consciência de que o médium é apenas um instrumento de seres mais evoluídos para atuarem neste plano em que vivemos para ajudar e ensinar os outros. Mas se a vaidade e o interesse pessoal entrarem no processo mediúnico, espíritos de baixa frequência poderão utilizar o médium para seus propósitos de propagação de vingança, da doença e do sofrimento.

Ao mesmo tempo não há que haver medo em deixar fluir a mediunidade, mas apenas cuidado para não deixar os desejos se misturarem e dominarem esse canal sutil da nossa percepção. Se uma pessoa necessita de um auxílio mediúnico é porque está fragilizada e muitas vezes vulnerável. Então é preciso muita delicadeza para tratar com alguém nessas condições.

É importante ter consciência de que um médium é uma pessoa comum. A mediunidade não faz de ninguém um santo ou um iluminado. Ela é apenas mais uma ferramenta para despertar a nossa consciência divina. Na vida real, como qualquer outra pessoa, o médium tem os seus defeitos e virtudes, mas precisa ter discernimento no momento que sente a manifestação mediúnica para atuar guiado pelo amor ao próximo e à caridade.

Um médium não é um *showman*. Portanto, não é aconselhável transformar num espetáculo circense a utilização dos dons mediúnicos; e se estiver conduzindo uma sessão espiritual, deve ser o mais humilde e mais amoroso entre todos. Querer prevalecer sobre os outros valendo-se dos seus conhecimentos mediúnicos é uma tentação provocada pela vaidade que deve ser rechaçada com todas as forças do coração.

Se eu pudesse dar um conselho para quem está trilhando os caminhos da mediunidade, seria: você não precisa ser notado pelo mundo; você precisa se conhecer, isso já basta. Esse é o verdadeiro sucesso na jornada espiritual.

CAPÍTULO IX

Vazio e silêncio como destinação

Toda evolução espiritual nos conduzirá irremediavelmente ao vazio e ao silêncio. Não crie ilusões de paraísos e palácios no Astral como recompensa pela sua busca de Deus. Não crie ilusões de alcançar um Éden como recompensa por seu *sadhana* (disciplina espiritual). Você pode realizar todas as *tapasias* (sacrifícios) existentes e ainda assim estará destinado ao vazio e ao silêncio.

O que cria esses paraísos e infernos como ponto de chegada da nossa jornada espiritual é a mente. Ela está viciada em formas para tornar a sua ação palpável e necessária; assim, a mente realiza o seu jogo de dualidade nos propondo uma recompensa ou um castigo para as nossas ações.

Mas isso é pura *maya*. Não existe um lugar a ser alcançado, porque o lugar é aqui e agora. Já estamos no lugar que almejamos chegar. Podemos dizer que esse lugar é a eternidade, presente em todos os estados que vivenciamos, encarnados ou desencarnados. Não há com o que se preocupar, porque o fluxo natural da existência está agindo além dos domínios da nossa mente.

Então quer dizer que podemos procrastinar e nos tornar indiferentes a tudo que acontece à nossa volta? Não é aconselhável. Todas as práticas espirituais que realizamos têm como objetivo principal pacificar a mente, despertar a consciência para que possamos nos identificar cada vez mais com o silêncio e o vazio, que são os atributos do nosso verdadeiro Ser. Se procrastinamos, viveremos esse tempo encarnado em eterno conflito. Numa linguagem popular, estaremos aperreados e inseguros durante o fluxo da nossa existência. Isso fará das nossas vidas um inferno e sofreremos inutilmente sem podermos aproveitar essa divina experiência da encarnação.

O exemplo vivo do Buda

O príncipe Sidarta teve como mola propulsora da sua busca o entendimento do sofrimento, da velhice, da doença e da morte. Ele vivia num palácio com todo o conforto material possível e quis investigar as razões do sofrimento humano. Pode parecer um paradoxo que alguém que tinha tudo desejasse entender aqueles que nada tinham.

Assim como um predestinado, Sidarta abandonou todas as suas posses e poder e se colocou no lugar dos desvalidos. Talvez para entender a atitude de Sidarta devemos lembrar do que disse Osho: "Para um homem que nunca teve riquezas é fácil desapegar das riquezas". A experiência do desapego só é válida para quem abre mão daquilo que realmente tem. Senão não é desapego, mas fuga.

Então a experiência de Sidarta, que viria a se tornar o Buda, realmente foi muito valorosa para apontar caminhos à humanidade. Abandonando o conforto e suas riquezas, Sidarta desencadeou uma verdadeira revolução. Porque aquilo que quase todos os seres humanos buscavam e ainda buscam ele tinha em abundância e abriu mão para entender realmente o sentido da vida.

Ao empreender sua busca da verdadeira razão da existência, Sidarta mostrou o quão ilusórios são os propósitos de riqueza e poder. Tudo o que pode ser conquistado materialmente por um homem não evita o destino final da velhice, da doença e da morte. Então qual a razão para tanto desejo de bens materiais e do conforto? Assim pensava Sidarta quando resolveu abandonar tudo.

O que Sidarta comprovou com a sua jornada foi que o desejo de riquezas fatalmente gerará sofrimento e frustração. Como disse o ex-presidente do Uruguai José Mujica: "para existirem ricos é preciso que existam pobres". A riqueza acumulativa certamente é construída à base da exploração do outro. E se num plano maior tudo no mundo está interligado, se o pobre sofrer não há como o rico não sofrer também.

Assim a peregrinação de Sidarta, que se completou com a sua iluminação em Bodhi Gaya, trouxe a verdade do vazio e do silêncio, porque depois de se tornar o Buda, Sidarta não falou em recompensas ou castigos para os buscadores do Ser. Também não falou em luzinhas coloridas e efeitos especiais para quem medita. Ele demonstrou por meio de sua experiência que o *nirvana* se manifesta exatamente quando entendemos o vazio e o silêncio. A verdade está além das formas e dos significados.

No Sutra do Coração, que é uma narrativa do processo de iluminação de Sidarta, está escrito:

> "Praticando a sabedoria (meditação) Sidarta viu que o orgulho, a ganância, o medo e o desejo são vazios em sua natureza. Assim se libertou de todos os sofrimentos. A forma é o vazio e o vazio é a forma. As sensações, percepções, vontade e consciência também são assim. Todos os fenômenos são vazios. Não aparecem e nem desaparecem, não são impuros e nem puros... não há ignorância e o fim da ignorância, não existe a velhice e a morte e o fim da velhice e da morte, não há o sofrimento, a origem, a cessação, o caminho e a sabedoria. Na realidade nem ganho existe. E sem ter o que ganhar o Buda permanece na perfeição e sem obstáculos na sua mente Ele está livre do medo. Estando distante das ilusões Ele permanece em Nirvana..."

Quando conto a história de Sidarta, que abandonou todas as suas posses materiais no mundo, não estou querendo mostrar que a pobreza é o único caminho para a realização. Não se trata de riqueza ou pobreza, mas de desapego. A prosperidade é realmente um atributo divino, mas é importante não confundi-la com o desejo de acumular. Isso é outra coisa.

A prosperidade pode, inclusive, nos ajudar na nossa trajetória de autoconhecimento. Mas se o poder das riquezas nos seduzir, estaremos apegados a algo que inexoravelmente deixará de existir com a morte do nosso corpo e da nossa personalidade. Então, é importante que despertemos a nossa consciência para diferenciarmos os nossos desejos de possuir e a prosperidade que faz parte do fluxo da existência.

O movimento do ar revela o caminho

Admito que entender as questões espirituais pela via intelectual é difícil; então é importante estarmos atentos à percepção sutil da nossa consciência que é a intuição. Talvez um caminho para o entendimento da realidade espiritual da nossa existência seja a atenção à nossa respiração. Não estou falando de *paranayamas* complexos, mas da simples observação da respiração.

Enquanto o ar entra e sai do nosso corpo, se estivermos concentrados nesse movimento, poderemos expandir a consciência. Apenas sentir sem apegos ou aversões. Sobretudo sem os julgamentos que nos levam à prisão da dualidade onde a nossa mente é o carrasco.

Também é possível realizar a expansão da consciência pelo uso correto de plantas de poder; assim como pela dança consciente, do canto e da repetição de mantras. Certamente existe uma infinidade de caminhos que podem nos levar à expansão da consciência. Acredito, inclusive, que isso possa acontecer de maneira natural durante uma contemplação silenciosa da natureza ou mesmo numa situação extrema de perigo onde todos os nossos sentidos se voltam para a preservação da vida. O importante é não criarmos expectativas com as nossas práticas. Realizá-las sem nos apegarmos aos frutos dessa ação, como diz o Bhagavad Gita. Porque se realizamos práticas espirituais esperando recompensas, estaremos exercitando o desejo de conseguir algo e não o desapego do vazio. Esse toma lá dá cá simplesmente não existe, porque o fluxo tem a sua maneira de agir e influenciar a nossa existência.

Então, devemos simplesmente praticar a nossa devoção sem esperar nada em troca. Dessa forma iremos educando a nossa mente para podermos alcançar a consciência de quem verdadeiramente somos.

Experiências reais de vazio

Eu vivenciei algumas experiências de vazio absoluto. Confesso que, num primeiro momento, elas foram assustadoras, porque não é fácil se desapegar do mundo dos significados de repente. Mas por meio da reflexão e da meditação pude entender essas experiências como valiosas oportunidades na minha jornada espiritual.

Numa delas eu estava na minha casa, nas montanhas da Mantiqueira, e tinha participado de uma sessão de meditação com ayahuasca. Era o intervalo de um trabalho do Santo Daime, na noite de São Sebastião, no Céu da Montanha. Ao voltar para casa acendi a lareira, coloquei um mantra védico e sentei-me para meditar para aproveitar a abertura mental da expansão da consciência pelas plantas de poder.

Apesar de estar tranquilo, de repente comecei a me sentir muito mal. O meu corpo começou a ter pequenas convulsões com um enjoo constante, e minha respiração ficou pesada. Fui para o banheiro, abri o chuveiro e me sentei em lótus para meditar debaixo da água. Normalmente isso melhora quando estou em fortes processos mediúnicos. Mas dessa vez não foi o caso.

A sensação que eu tinha era de que estava morrendo. Mas, ao mesmo tempo, eu sentia um leve conforto de conformação. Pensei: "se chegou a minha hora de desencarnar, vou aceitar, porque não há o que fazer". Não sairia gritando pelas montanhas me lamentando pelo fim. Então subi para o meu quarto, abri as janelas e me deitei na cama. Concentrei-me na minha respiração na esperança de que todos os meus sentidos cessassem em algum momento e eu pudesse me libertar do fardo do corpo.

Apaguei, mas um fio de consciência permaneceu. Então pude contemplar a mais extrema escuridão, a ausência total de luz e um silêncio absoluto. Não havia pensamentos naquele estado; só a contemplação da escuridão, do vazio e do silêncio. Eu não sentia mais o meu corpo e nem a respiração.

Não tenho a menor ideia de quanto tempo permaneci naquele estado tendo vislumbres do vazio total. Perdi totalmente as referências da minha personalidade e do mundo. Nada mais existia. Estou narrando com palavras, mas a sensação era de não existência. Isso é difícil de descrever. Não sei nem mesmo porque permaneceu uma lembrança desse estado.

Quando retornei ao corpo, o quarto estava todo iluminado por uma luz violeta. A minha respiração estava normalizada e as dores corporais e o mal-estar tinham desaparecido. Caminhei até a janela e respirei profundamente o ar frio da madrugada das montanhas da Mantiqueira. Uma alegria imensa aportou no meu coração.

Nesse momento, ouvi no meu canal mediúnico a voz do Padrinho Sebastião me dando instrução para vestir uma roupa e voltar para o Centro Espiritual onde cantavam o seu Hinário "O Justiceiro". Conforme fui caminhando calmamente pelas estradas da Mantiqueira começou a amanhecer. Os meus pulmões se encheram de ar e os meus olhos foram inundados pela luz da aurora de um novo dia.

Ao chegar ao salão, já estavam cantando os últimos hinos do Padrinho. Entrei numa das filas para bailar e saudar a minha nova vida nascida no silêncio e na escuridão. Senti uma gratidão infinita a todos os mestres que me mostraram os caminhos da mediunidade e da espiritualidade. Abraçando os irmãos no fim do trabalho eu ainda podia sentir o vazio dentro de mim. Não como um fardo, mas como uma bênção da existência além dos significados da mente.

Quando voltei para casa, recebi via WhatsApp um *link* para acessar o vídeo "I leave you my dream" (Deixo a você o meu sonho) sobre as palavras finais de Osho antes de abandonar o seu corpo. Ele dizia que, deixando o seu corpo, muito mais pessoas viriam para o seu Ashram de Pune, na Índia; muitos mais se interessariam pelos seus ensinamentos e que o seu trabalho se expandiria. "A minha presença aqui será muito maior sem sobrecarga desse meu corpo torturado", profetizava Osho.

Mas um detalhe naquela carta de despedida de Osho que me chamou a atenção foi quando ele disse: "...E lembrem-se que o Anando (um discípulo dele) será o meu mensageiro", e então completou: "...não, o Anando será o meu médium". Osho, como um mestre desperto, conhecia a mediunidade e afirmava que o seu espírito poderia usar um médium para continuar a se comunicar com seus seguidores.

Uma observação importante para os leitores é que justamente na noite de São Sebastião, de 19 para 20 de janeiro de 1990, tanto o Padrinho Sebastião quanto Osho fizeram suas passagens espirituais. Esses dois seres sempre foram guias espirituais importantes na minha jornada de autoconhecimento e, talvez, tenham me induzido a uma experiência de "quase-morte" para aprofundar o meu entendimento. Não importa, porque tudo isso são significados e interpretações. O fato é que a experiência do vazio me trouxe à vida.

Além dos deuses e santos

Acredito que dois anos após essa experiência de vazio absoluto tive uma outra, não tão dramática, mas de profundo aprendizado. Lá estava eu participando de um trabalho mediúnico no Céu da Montanha, conduzido pelo meu amigo Alex Polari. Tudo seguindo conforme o previsto nos aprendizados dos hinos para São Miguel, nosso defensor no mundo espiritual.

Mas, num determinado momento de meditação, fui conduzido para um lugar no Astral em que não havia a presença de ar. Consequentemente, respirar ficou difícil e o meu corpo manifestava essa "agonia" da falta de ar. Fiquei apavorado e comecei a evocar todos os deuses e santos que conheço para escapar desse lugar dentro de mim. Chamava, rezava, pedia e a agonia não passava.

Então me veio à lembrança o principal ensinamento do monge budista Thich Nhat Hanh: "inspira e expira". Só isso. "Inspira e expira". Parei com todos aqueles chamamentos místicos e me concentrei no "inspira e expira". E fui indo no ritmo do ar que entrava e saía do meu corpo. Quanto mais eu me concentrava na minha respiração, inspirando e expirando, mais as coisas iam se acalmando. Assim me vi projetado num outro lugar, também nas montanhas, mas não aquelas onde eu estava, com uma luz esverdeada permeando todas as coisas.

No ritmo de inspira e expira fui caminhando por aquele lugar no Astral. O medo desapareceu e senti uma profunda sensação de esvaziamento. Eu apenas observava aquele lugar iluminado por uma incandescência esverdeada sem pensamentos e sem julgamentos. Simplesmente estava ali sem referências da minha personalidade, da minha história ou de quem eu era no mundo. Apenas existia num completo vazio livre do passado e do futuro. Não havia prazer e nem sofrimento, medo ou coragem, beleza ou feiura e, consequentemente, a própria referência de vida e morte haviam desaparecido. Eu era apenas o fluxo de uma respiração que sustentava o meu espírito num "nada eterno" que está além da própria criação.

Espiritualidade disponível para homens e mulheres comuns

Existe uma ligação entre a mediunidade e a santidade. Um santo não deixa de ser um "meio" de muita gente alcançar a consciência divina. Ao longo da minha vida tive contatos com diversos seres que se tornaram referências para o meu aprendizado sobre os caminhos que nos levam ao Ser. Alguns deles eu conheci e com eles convivi; outros, encontrei em processos mediúnicos; e ainda houve aqueles que me chegaram por meio de livros. Mas apenas ficaram vivos dentro de mim os Seres que puderam, de alguma forma, me oferecer um pouco de luz para iluminar o meu caminho. Esses foram absorvidos no meu interior por meio de uma simbiose alquímica para me servirem de guias na jornada existencial.

Sempre que conheço um desses guias espirituais procuro, primeiro, olhar a sua origem humana para depois contemplar o seu aspecto divino. Uma vez conversando com Prem Baba ele me disse uma frase que fez todo o sentido: "Quando a gente olha para uma imagem de pedra ou gesso de Buda, Jesus ou de um santo qualquer, a gente só enxerga a perfeição alcançada revelada naqueles traços talhados na pedra. Esquecemos das atribulações humanas que cada um deles enfrentou para alcançarem aquele estado de iluminação e beatificação".

É verdade, nenhum santo será representado no momento em que sentia uma terrível dor de barriga. Mas é possível que aqueles que estiveram encarnados tenham passado por essas agonias do aparelho físico. Assim como também esses iluminados certamente cometeram erros nas suas vidas que os seus biógrafos relegaram ao esquecimento.

Num certo aspecto até concordo que os erros cometidos pelos santos são menos importantes do que as suas mensagens luminosas. Mas acredito também que essas falhas inerentes a todos os seres humanos tenham uma importância fundamental em qualquer processo de iluminação verdadeira.

Se não houvesse tantos julgamentos, acredito que os cronistas das vidas dos iluminados pudessem revelar aspectos não tão luminosos das suas vidas. Por exemplo, uma santa que sempre despertou muito a minha atenção foi Santa Rita de Cássia. A sua história de vida é misteriosa, porque muitos dos seus aspectos íntimos foram esquecidos depois que a Igreja Católica a declarou santa.

Rita foi uma mulher comum de Cássia, uma pequena cidade da Úmbria, na Itália. Casou-se jovem e teve dois filhos. Portanto, ela já quebrou um primeiro paradigma da "santidade" cristã que é a virgindade de uma mulher.

As histórias daquela época contam que o marido de Rita era um alcoólatra violento que vivia se metendo em confusões. Numa delas, acabou sendo assassinado numa briga de bar apesar das constantes orações da esposa para que o marido encontrasse os caminhos da virtude espiritual.

Depois do assassinato do marido, os filhos de Rita, que eram adolescentes, se enfureceram e juraram vingar a morte do pai. A Santa de Cássia pediu então ao Senhor que levasse seus filhos antes que eles cometessem os pecados mortais da vingança e do assassinato. E assim aconteceu, os dois jovens, talvez ainda inexperientes no uso de armas, acabaram sendo mortos quando tentaram matar o assassino do pai.

Assim Rita, que antes de se casar sonhava em viver num mosteiro de monjas para se dedicar inteiramente à vida espiritual, se viu sozinha, mas ao mesmo tempo livre do fardo de familiares problemáticos para seguir a sua verdadeira vocação.

Conta a tradição que logo depois da perda de sua família, Rita se dirigiu ao convento de freiras daquela região pedindo para fazer os votos de monja. Ela foi rechaçada, porque não era mais virgem e, consequentemente, tinha experimentado os prazeres do sexo. Mas Rita perseverou sua fé, e num amanhecer foi encontrada em estado de êxtase divino nos jardins do convento totalmente absorta em oração. Isso foi um fenômeno inexplicável, porque aquele monastério era cercado por altos muros de pedra fechados por um portão de madeira maciça nada fácil de ser violado; então seria impossível para uma frágil viúva arrombar aquela fortaleza para adentrar seus jardins.

Esse acontecimento, considerado um milagre, amoleceu as convicções da madre superiora do convento de Cássia e dos padres responsáveis pela clausura daquelas monjas e Rita finalmente foi aceita como noviça. Vivendo dentro do monastério, outros fenômenos inexplicáveis aconteceram com a Santa de Cássia.

Num dia de inverno implacável naquela região do Monte Subásio seria celebrada uma missa para as monjas. Mas alguém lembrou que faltavam flores para adornarem o altar do Senhor. Rita saiu silenciosamente para o jardim completamente nevado e colheu belas rosas para o altar. Obviamente que as outras ficaram espantadas, porque é impossível que flores brotem num jardim numa época de neve e frio congelante.

Esses milagres protagonizados por Santa Rita fizeram com que ela se tornasse conhecida como a Santa do Impossível; aquela que pode operar prodígios em casos que a lógica dos fenômenos naturais é desafiada. Assim, muita gente passou a frequentar o Convento de Cássia pedindo a intervenção de Santa Rita junto a Deus para operar milagres impossíveis.

Na sequência de acontecimentos, com o amadurecimento da idade, Rita começou a apresentar dentro do convento uma das chagas da crucificação de Jesus. Mais especificamente apareceram na sua testa as marcas da coroa de espinhos colocada no Mestre de Nazaré um pouco antes do seu martírio. Os cronistas da época contam que das feridas de Santa Rita vazava um pus amarelado, revelando uma infecção.

No entanto, apesar da profundidade das feridas purulentas, nenhum mau cheiro era exalado. Ao contrário, delas saíam um odor inebriante de rosas que se espalhavam por todo o convento. No último ato da história de Santa Rita, sua morte constitui-se num outro fenômeno misterioso: mesmo muitos anos depois de ter falecido, o seu corpo continuava incorruptível dentro da urna mortuária como se ela estivesse apenas dormindo.

Observe que neste breve resumo da história da vida de Santa Rita de Cássia, aspectos de uma vida mundana de uma mulher casada que concebeu dois filhos se misturam com fenômenos místicos e mediúnicos considerados milagres, como a colheita de rosas num jardim nevado, a sua ascensão por sobre os muros do Convento de Cássia, as chagas que emanavam perfume de rosa e o corpo da santa, que mesmo depois de morta, não sofreu as transformações dos cadáveres.

Também a história de Santa Bernadete Soubirous, que teve um contato espiritual com a Mãe Divina, Nossa Senhora, em Lourdes, nos Pirineus franceses, chama a atenção. Ela era uma adolescente comum de uma família muito pobre. Todos os dias saía de casa para buscar lenha que seus pais vendiam para aumentar a renda familiar.

Bernadete "paquerava" um jovem que morava nas imediações da sua casa. Por causa dessa paixão juvenil, por vezes, desviava o seu caminho para passar próximo ao lugar onde morava o rapaz. Um certo dia, em 1848, andava distraída sonhando com o amor do seu pretendido quando se deu conta de que o tempo tinha passado rápido demais, a noite se aproximava e ela ainda não tinha recolhido a lenha necessária para a sua família.

Então Bernadete lembrou-se de que havia uma pocilga próxima a uma gruta onde poucas pessoas costumavam ir. Ela sabia que lá encontraria mais rapidamente a lenha de que precisava para cumprir a sua meta. O lugar era malfalado pelas pessoas da região que acreditavam que ali poderiam existir maus espíritos. Mas na sua agonia para resolver o problema da lenha, Bernadete resolveu se arriscar a ir nessa gruta escura.

Pois foi exatamente ali que Nossa Senhora apareceu para Bernadete para lhe dar instruções que deveriam ser transmitidas para a humanidade. Naquela gruta Bernadete teve 18 visões da Virgem Maria, que posteriormente foram severamente questionadas pelos padres da região. Eles não aceitavam o fato de Bernadete ser analfabeta e não ter nenhuma formação religiosa. Mas depois de alguns anos de investigações, a Igreja Católica reconheceu a veracidade das visões da jovem de Lourdes.

Eu tive a oportunidade de estar algumas vezes na Gruta de Lourdes, onde Bernadete teve a visão de Nossa Senhora. Tirando toda a pompa da catedral construída ali, o lugar realmente tem uma energia espiritual muito forte. Durante as aparições para Bernadete, a Mãe Divina fez brotar uma nascente de águas límpidas e instruiu a moça de que os doentes deveriam ser banhados ali para curarem as enfermidades do corpo e do espírito. Assim, uma gruta escura ladeada por uma pocilga se tornou um dos lugares mais luminosos do planeta, ponto de peregrinação para milhões de pessoas ao longo dos séculos.

Eu mesmo banhei-me por algumas vezes naquelas águas sagradas de Lourdes e senti os seus efeitos regeneradores. É importante destacar que a divindade não escolhe pessoas que o senso comum julga merecedoras para se manifestarem; menos ainda os lugares apropriados para operarem seus milagres. Bernadete sofreu muito antes de acreditarem nela. Passou por louca e foi presa. Mas manteve-se firme nas palavras ditas pela Mãe Divina que não lhe prometia "felicidades nesta vida", mas a iluminação eterna por revelar esse ponto de luz para a humanidade.

O milagre é o autoconhecimento

Nós nos fixamos demasiadamente na necessidade da produção de fenômenos metafísicos para podermos acreditar nas coisas invisíveis.

Esse é um caminho estreito e limitado que não nos conduzirá ao destino que desejamos. Muitos yogues na Índia são dotados daquilo que chamam de *siddhis*, ou poderes especiais capazes de produzirem fenômenos não processados por nosso entendimento racional.

Esses yogues recebem esses *siddhis* como fruto de anos de *sadhana* e *tapasia*. No entanto, os mais sábios desaconselham totalmente *sadhana* e *tapasia* com o objetivo de adquirir *siddhis*. Eles, inclusive, acham que esses *siddhis* são obstáculos para a realização suprema de um yogue, se exercidos de maneira vaidosa. Então, não é movendo uma pedra do lugar por meio dos *siddhis*, entortando moedas, criando luzes e outros fenômenos que um yogue mostrará a sua evolução no caminho espiritual.

Esses fenômenos são simplesmente manifestações no mundo material da consciência suprema sobre todas as coisas. Não devem ser levados a sério. É claro que entre esses *siddhis* existem capacidades místicas e mediúnicas que podem ajudar a curar os males físicos e espirituais de outras pessoas, e ninguém vai negar um copo de água para quem está com sede. No entanto, quem tem esse poder deve exercê-lo no mais absoluto silêncio e sem desejar nada em troca, que não seja a cura do necessitado.

Os seres humanos enredados neste mundo ilusório de sofrimento anseiam por milagres para resolverem seus problemas existenciais. Entendem que num toque de mágica ou numa pílula milagrosa encontrarão o alívio para as suas dores. Mas esquecem-se de buscar as verdadeiras curas para aquelas dores e o sofrimento.

É nesse sentido que posso afirmar que o maior milagre que podemos operar e esperar que ocorra durante a nossa encarnação é o autoconhecimento. Só por meio dele é que poderemos entender o verdadeiro sentido para a nossa vida neste plano. Alcançando o autoconhecimento, conseguiremos despertar para a realidade suprema que nos cerca. Poderemos adquirir a consciência da Unidade que nos libertará de tantos tropeços no nosso caminhar pela existência.

Em resumo, não existe nenhum antídoto mais poderoso contra o sofrimento do que o autoconhecimento.

Então ficar esperando que fenômenos externos nos salvem das nossas tendências destrutivas, dos nossos medos e aversões e da nossa ignorância é pura perda de tempo. O único milagre que todos têm a capacidade de operar é o autoconhecimento. Não adianta você conquistar o mundo inteiro se não se conhecer verdadeiramente.

Para ilustrar o que estou dizendo, temos a história de Alexandre, o Grande, o conquistador da Macedônia, que desencarnou ainda muito jovem depois de dominar militarmente grande parte do mundo. Alexandre agiu por impulso partindo do pequeno país em que vivia e realmente conseguiu dominar grande parte da Europa e da Ásia naqueles tempos.

Mas os seus biógrafos revelam que ele, mesmo depois de alcançar grande poder, vivia angustiado. Sofria de insônia, ansiedade e era depressivo. Ou seja, mesmo conquistando o mundo não conseguiu aquilo que é mais importante para qualquer ser humano, a paz.

Em síntese, Alexandre não conheceu a sua verdadeira natureza interior e padeceu de muitos males psicológicos antes de desencarnar. Assim, todas as suas conquistas se tornaram apenas referências históricas, mas Alexandre passou longe da verdadeira conquista pela qual deveria ter se empenhado, que é o autoconhecimento. Isso teria dado um sentido à sua vida na eternidade muito além das páginas dos livros de história.

Temos vários outros exemplos de pessoas que alcançaram a fama e a riqueza financeira, mas que terminaram a vida extremamente angustiadas por não entenderem o sentido da existência. Não que haja algum problema em ser famoso e próspero. Isso é até admirável se a conquista acontecer dentro do fluxo natural da vida. A questão é outra.

Se alguém despende toda a sua energia para alcançar sucesso poderá se tornar prisioneiro dessa empreitada. O meu compadre, compositor e poeta Márcio Borges, costuma dizer que tem gente que permanece com a sensação de fracasso mesmo depois de alcançar o seu objetivo no mundo material. Ele chama de "fracasso na realização". Olha que interessante. Alguém que chega aonde desejava e continua insatisfeito. Por quê?

Uma das possíveis respostas a essa indagação é a pessoa não ter conhecimento daquilo que está buscando. Assim, está procurando "aquilo" que o seu espírito anseia no lugar e de forma errada. Dessa maneira quando alcança "aquilo" que pensava estar buscando se depara com enorme vazio e permanece insatisfeita porque não era "aquilo".

Quantos artistas e políticos famosos acabaram as suas vidas de maneira trágica? Ou seja, se decepcionaram com "aquilo" que encontraram no suposto "topo da pirâmide" porque não era "aquilo" que realmente buscavam. Ninguém precisa ser um santo ou um yogue iluminado nesta vida. Eu mesmo sou admirador dos homens e mulheres comuns que empreendem a jornada do autoconhecimento mesmo em condições desfavoráveis. Mas podemos harmonizar a nossa profissão e os nossos desejos pessoais com o autoconhecimento. Assim, pelo menos saberemos em alguns momentos do nosso dia "aquilo" que estamos procurando.

Ter a consciência da busca já é um enorme passo para uma autorrealização natural. Os desdobramentos dessa jornada ficam por conta do fluxo da existência. Não devemos nos preocupar com o caminho, mas com o nosso caminhar, passo a passo, estabelecido no presente por meio da respiração consciente. O resto o milagre do autoconhecimento irá operar.

CAPÍTULO X

Meditação e mediunidade: o arco e a flecha

"Mesmo que você tenha um bom conhecimento espiritual, a única maneira desse conhecimento ser absorvido é com a ajuda da meditação... Permaneça naquilo como você era anterior à existência"
(Nisargadatta Maharaj)

O despertar da mediunidade está ao alcance de qualquer ser vivente. Não é algo somente para os "escolhidos" e "raros" como escreveu Hermann Hesse no seu romance *O Lobo da Estepe*. Existem algumas pessoas que realmente chegam a uma nova encarnação com o dom da mediunidade mais desenvolvido por terem trabalhado essa questão em outras vidas; mas todos podem se desenvolver mediunicamente durante o processo existencial.

Esse trabalho de desenvolvimento mediúnico tem início quando adquirimos a percepção de que não somos apenas um corpo e uma personalidade. É nesse sentido que a meditação seja talvez o mais poderoso instrumento para o despertar da mediunidade, porque ela pode nos revelar quem realmente fomos e somos antes de qualquer encarnação.

Quando vamos para dentro de nós mesmos por meio da meditação, passamos a reconhecer um mundo novo escondido dos nossos sentidos externos. Conforme vamos avançando nas práticas meditativas, as amarras que nos prendem à realidade material vão se rompendo gradativamente.

Da mesma maneira que praticamos exercícios para fortalecermos partes do nosso corpo, como os braços, as pernas etc., com a meditação estaremos fortalecendo a nossa capacidade de ver e perceber sem os olhos da matéria corporal. Um universo invisível muito mais amplo se abre além dos nossos cinco sentidos e da nossa mente. E se avançarmos por esse mundo imaterial, certamente encontraremos a fonte da criação que gerou o nosso verdadeiro Eu.

O próprio Bhagavad Gita nos revela que "antes de sermos, nós já fomos, e continuaremos a ser". Então, focar a nossa atenção por alguns minutos durante o nosso dia naquilo que somos além do nosso corpo, mente e personalidade é um treinamento para não entrarmos em pânico quando chegar a hora de abandonarmos o corpo que estamos usando. Uma passagem tranquila entre os planos existenciais pode determinar uma reencarnação evolutiva, e esse é um fator que pode reduzir muito o sofrimento humano com a chegada da morte corporal.

O Guru Sachcha Maharaj num dos seus últimos discursos, antes de desencarnar, em 2011, aconselhou a prática diária da meditação aos seus discípulos como uma maneira segura para enfrentarem os difíceis tempos que se apresentariam no auge do *Parivartam*, um conceito védico similar ao Apocalipse. Nas palavras de Maharaj, manter a disciplina de tirar algum tempo entre as nossas atribulações diárias para meditar é essencial para adquirirmos a paz interior que nos dará segurança em nosso contato com o mundo social externo.

Maharaj aconselhava um processo de aumentar cada dia mais um pouco o tempo de meditação conforme a possibilidade da pessoa. E um detalhe revelado pelo Guru Sachcha, que de fato se confirmou na minha própria experiência, é que com o tempo, em vez de considerarmos a meditação uma obrigação, ansiaremos por aqueles momentos de encontro conosco mesmo.

A meditação nos aproxima do nosso verdadeiro Ser puro e translúcido, sem as sobras das impressões gravadas no nosso campo psicológico pelas nossas ações do passado que a cultura védica chama de *sanskaras*. A meditação nos leva ao todo que contém todos os aspectos da nossa existência, inclusive a mediunidade.

Podemos ler livros, seguir os conselhos de um mestre, aprender técnicas, mas a verdadeira meditação é intuitiva e nasce da necessidade de autoconhecimento. A base desse processo meditativo são as perguntas que fazemos a nós mesmos para decifrarmos as causas da nossa existência. Osho dizia que as perguntas são mais importantes do que as respostas, que podem ser fruto da manipulação da mente; enquanto as perguntas são puras por serem sinceras, nascidas na nossa autoinvestigação, aquilo que Ramana Maharshi chamava de *atma-vichara*.

A chave da meditação é a indagação "quem sou Eu?" Essa é uma pergunta indutiva para que o "Eu Sou" se revele muito além de uma resposta mental. Em sânscrito, o "Eu Sou" significa "*So'Ham*" e é associado à nossa respiração no presente. Mesmo porque só pode haver respiração no presente. Você já viu alguém respirar no passado ou no futuro? Não. A respiração é o nosso vínculo mais forte com o presente, e ela é capaz de abrir os canais para a nossa meditação.

A única resposta possível se a mente pode libertar-se do passado é "não sei". Quando dizei "não sei" em que nível, em que profundidade dizei? Trata-se apenas de uma declaração verbal ou é a totalidade do vosso Ser que está dizendo "não sei"? Se todo o vosso ser diz, genuinamente, "não sei", isso significa que não estai recorrendo à memória para encontrar a resposta. Não estás então totalmente livre do passado? E tal processo de investigação não é meditação? Isto é um processo de meditação e sem meditação não há sabedoria.

É de extraordinária importância ver o que somos, vermos de fato, como se estivéssemos nos olhando psicologicamente num espelho o que produz uma transformação na própria estrutura interna. Quando se realiza profundamente uma transformação ou mutação semelhante, então essa mutação afeta toda a consciência do homem, esta é a finalidade da meditação: fazer-nos conhecer o ego em seu todo.

O ego é resultado do passado, e as muitas causas que lhe deram existência precisam ser compreendidas e transcendidas. Libertar-se da própria consciência e libertar-se de todas as coisas que a pessoa se acha enredada, é meditação. Destrua o pequeno estímulo egocêntrico, ele não existe. A partir daí você pode se mover infinitamente, e isto é meditação.

(Jiddu Krishnamurti)

EPÍLOGO

Shiva Juramidam

Quem abriu o caminho para eu reconhecer o yogue que vive dentro de mim foi o Mestre Raimundo Irineu Serra. Por meio dos trabalhos na sua linha espiritual, a minha memória ancestral foi se despertando gradualmente. Comecei a entender que já havia vivido muitas outras vidas. Assim, a minha consciência se ampliou e despertou à percepção de uma realidade sutil de existência.

Mas sem os trabalhos na escola eclética de mediunidade do Mestre Irineu provavelmente eu continuaria vivendo iludido por uma vida com início, meio e fim. Seguindo a sua guia tive acesso às percepções transcendentes à materialidade construída pela racionalidade. Assim, um novo mundo se revelou para mim aqui mesmo no presente.

A minha mediunidade se tornou mais consciente com os trabalhos espirituais com as plantas de poder e a meditação. A mediunidade sempre esteve presente na minha vida, mas os ensinamentos dos médiuns do Santo Daime a despertaram e propiciaram a sua expansão.

Tive muitos sonhos na minha infância, que mais tarde entendi como experiências mediúnicas. Tenho a lembrança nítida de um deles em que eu estava num templo budista. Mesmo sendo de formação familiar cristã, eu "sabia sem saber" que aquele lugar era de Buda. Não tinha nenhuma referência sobre o budismo, mesmo porque, nessa época, eu ainda não era nem mesmo alfabetizado. Devia ter entre três e cinco anos de idade. A imagem que tenho até hoje desse sonho é do meu corpo caído num poço profundo enquanto ouvia cânticos e orações conduzidas por um monge budista.

Os sonhos conscientes são sinalizações da nossa realidade espiritual que permanecem ao longo de muitas vidas. Eles se manifestam para nos lembrar da nossa verdadeira natureza. Inclusive, os sonhos podem nos trazer lembranças de outras encarnações que vivemos. São instrumentos da nossa mediunidade para nos despertar. Os sonhos podem demorar, às vezes, muitas vidas para serem decifrados. Mas mesmo que não entendamos de imediato os seus significados, uma hora eles irão revelar as suas verdades.

Foi ainda por meio de sonhos que me conectei com Shiva. Quando eu tinha 20 e poucos anos e trabalhava no mercado editorial, sonhei com um sábio que ensinava embaixo de uma mangueira numa pequena vila na Índia. Eu o ouvia num idioma totalmente estranho para mim, mas misteriosamente entendia as suas palavras. Permaneci ali durante muito tempo e senti uma paz infinita. Quando acordei, o sonho permaneceu vivo na minha lembrança e tive a sensação de um encontro verdadeiro com aquele sábio. Vale lembrar que para a Siddha Yoga, quando se sonha com um mestre, significa que o sonhador recebeu um *darshan* (encontro real) daquele ser.

Pouco tempo depois, eu estava indo para um trabalho espiritual no Céu da Montanha de carona num carro. Estava sentado no banco de trás e vi um livro. Peguei e olhei para a capa e lá estava a foto daquele sábio do meu sonho. Era o Baba Muktananda, e a minha amiga, dona do livro, me explicou que se tratava de um Guru Siddha. Até então eu nunca tinha ouvido falar nele, nem visto nenhuma das suas obras, mas ele se revelava para mim por meio de um sonho e um acaso do destino.

Os detalhes desse encontro com Baba Muktananda e os seus desdobramentos contei em detalhes no meu livro Shiva Jesus — *Peregrinando com o vento em busca do Ser*, Editora Gente. Mas o fato é que Muktananda despertou o princípio vivo de Shiva dentro de mim. Por meio dos seus ensinamentos de Siddha Yoga pude realizar a verdadeira meditação. Ela se tornou tão presente que, na verdade, descobri que sempre meditei. Mas as técnicas meditativas de Baba Muktananda por meio da Siddha Yoga me deram maior controle sobre esse estado alterado de consciência provocado pela respiração, concentração e devoção.

A Doutrina do Santo Daime, recebida pelo Mestre Irineu, mistura conhecimentos de várias origens espirituais como o cristianismo, a umbanda, o esoterismo, o orientalismo e as raízes de diversas culturas indígenas. Nessa alquimia mística o Mestre Irineu reconheceu uma entidade divina poderosa que chamou de Juramidam. Essa é a presença que conduz os discípulos da Doutrina para o entendimento da fusão entre o indivíduo e a divindade. Na linguagem védica: entre Jiva e Brahman.

O Padrinho Sebastião nos deu uma pista para o entendimento de Juramidam ao receber um canto que diz: "...meu Pai se chama Jura e nós todos somos Midam". O Pai é a eternidade, a Criação, o *OM* permanente e Midam o indivíduo, a personalidade, o ego, o ser humano vivendo a experiência encarnatória num mundo de dualidades. Juramidam une as duas coisas, materialidade e espiritualidade, para nos revelar o nosso verdadeiro Ser pleno.

O entendimento de Juramidam despertou Shiva em mim. A nossa mente tenta o tempo todo nos separar da divindade. Quer colocar Deus no externo, como algo a ser alcançado, mas Ele está dentro de nós, faz parte de nós, basta O reconhecermos no nosso interior. Fomos criados à imagem e semelhança de Deus, dizem as escrituras judaicas cristãs. Para os shivaístas da Caxemira, Shivo Aham (Eu sou Shiva) é a essência do caminho de autoconhecimento. Não há como separar o Criador da criatura, ambos estão unidos, mas a nossa mente tenta se sobrepor à divindade que nos habita para se estabelecer num mundo ilusório. Ela cria pensamentos incessantes que nos arrastam para o medo e a dúvida.

O principal atributo de Shiva é a destruição da ilusão que nos leva à transformação que permitirá o encontro com o nosso verdadeiro Ser. Shiva é o yogue primordial que está dentro de todos nós. Por um lado, é um Deus com vários nomes, formas e representações iconográficas, mas a sua essência é sutil e sem forma alguma, estando presente no fluxo da meditação.

Um yogue é alguém que busca a sua verdadeira natureza divina. Nessa jornada de autoconhecimento poderá viver várias experiências mundanas, mas o seu foco principal permanecerá no divino.

Como um yogue, tive que provar a ilusão das mais diversas maneiras para ter a certeza de não ser a realidade verdadeira da minha existência. Ainda que vivamos normalmente entre as outras pessoas nesse sistema racional de pensamentos, se a nossa percepção meditativa estiver desperta é possível evoluir no autoconhecimento mesmo em meio à ilusão. Não é preciso ser um santo ou um yogue meditando numa caverna nos Himalaias para reconhecer a nossa verdadeira natureza. Alguma coisa vai nos lembrar da verdadeira sintonia. Então, por mais que estejamos desempenhando funções mundanas, o nosso espírito vivo sempre estará presente.

Agora quem se identifica com personagens sociais e está preso às concepções de "eu" e "meu" terá dificuldade para fazer a travessia da materialidade para a espiritualidade. E essa é uma passagem que todos iremos fazer.

Chegamos aos nossos corpos para vivermos a experiência da matéria. Com o passar do tempo as seduções dos sentidos nos arrastam para um grande esquecimento de que quem está vivendo a experiência encarnatória é um espírito. Esquecemos que não existe separação, somos corpo e espírito. O corpo é apenas o veículo do espírito para viver essa experiência que faz parte do nosso processo evolutivo existencial. Somos os condutores dos nossos corpos, que depois de algum tempo, naturalmente irão se consumir e desaparecer. Mas o espírito permanecerá e poderá migrar para um outro corpo numa próxima encarnação ou se fundir com o Todo, alcançando o estado desperto permanente que alguns chamam de Buda, Cristo ou Juramidam.

As seduções nesse estágio encarnatório são materializadas pela nossa mente na forma de desejos e quereres, anseios pelo conforto e situações ideais. Mas a lei da impermanência é soberana, e assim que se alcança a satisfação de um desejo realizado logo surgirá outro. Esse ciclo só pode ser interrompido encontrando satisfação em contemplar o vazio. É o princípio da dança do Senhor Shiva Natharaja que cria desejos no seu rodopio cósmico e os destrói um instante depois. Assim, a transformação não cessa; e o nosso verdadeiro Ser permanece observando todos esses acontecimentos estabelecidos no seu silêncio eterno.

A fusão entre Shiva e Juramidam permitiu-me ampliar minha visão da realidade que transcende as encarnações e as limitações da matéria. Shiva me trouxe o entendimento da *dhyana* (meditação) provocada pela respiração consciente, um estado que nos conecta com a eternidade e que permeia todas as coisas. A meditação é um fluxo contínuo que atravessa o limite de tempo e espaço. Ela está presente e nunca deixou de estar. Cabe a nós percebê-la e desfrutar desse conhecimento universal.

O Livro da Vida

Quando escrevi o livro *Shiva Jesus*, nos anos 90, tive a ilusão de que havia concluído a obra e publiquei. Eu estava enganado, porque as vivências que narrei naquele livro tiveram muitos desdobramentos.

O verdadeiro livro é aquele que se escreve todos os dias por meio das nossas vivências. E esse pode demorar muitas encarnações para ficar pronto. Palavras, conhecimentos e poesias surgem todos os dias se rabiscando nas páginas da nossa vida, mas para serem verdadeiros precisam ser vividos.

Todos os livros que escrevi foram essenciais para o meu despertar espiritual. Mas a história continuou e ainda continua. O elo essencial é o propósito de seguir na direção que a percepção sutil do visível e do invisível me conduzir.

Assisti a uma palestra de Thich Nhat Hanh que pode ilustrar bem o sentido de manifestar as nossas experiências e percepções por meio da escrita. Ele contava a um grupo de crianças sobre a arte oriental de desenhar caligrafia, da qual o monge vietnamita era adepto. Essa é uma prática meditativa. Enquanto se desenha as letras num papel em branco, a mente deve ficar o mais vazia possível para as formas surgirem naturalmente. Então, para mim, escrever um livro é a mesma coisa. Digito palavras que vão se encadeando e criando ritmo próprio, procurando não interferir no fluxo.

Assim, entrego aos leitores mais esta obra inacabada repleta de palavras forjadas na meditação. Sempre na esperança de que elas me levem ao encontro definitivo com o meu Ser.

Glossário

O sânscrito é um idioma considerado sagrado na cultura védica. As suas palavras transcendem os seus significados literais por serem conceitos mais abrangentes de um sistema de autoconhecimento milenar. Neste glossário vou significar à minha maneira cada uma das palavras/conceitos do sânscrito para o entendimento do leitor(a) no contexto desta obra.

Asuras – Seres ignorantes iludidos pelo poder mundano materialista. Na cultura ocidental podem ser confundidos com demônios. Mas o conceito védico não contempla esse maniqueísmo de bem e mal.

Atma-vichara – Autoinvestigação. É a prática preconizada por Ramana Maharshi para o estudante descobrir o "quem eu sou?" e a origem da mente e as suas atribulações.

Avadhutas – Rishis que alcançaram um grau tão elevado de consciência, que desafiam os comportamentos sociais considerados "politicamente corretos". Esses seres são totalmente imprevisíveis e dispensam qualquer tipo de adoração ou reconhecimento dos seus atributos. São "loucos em Deus".

Deva – Um dos deuses védicos ou espíritos iluminados que auxiliam a humanidade a despertar do sonho ilusório de materialidade e separação.

Dharma – Ação correta. Os budistas também usam esta mesma expressão na forma *dhama*. Significa que quem realiza a ação está consciente das suas consequências e procura se alinhar com os bons propósitos evolutivos para benefício das pessoas e do planeta com a sua natureza. Pode ser também uma ação desapegada dos frutos da ação.

Dhármico – Relativo à atitude consciente do *dharma* (ver no glossário).

Dhyana – Meditação.

Ganga – Deusa védica que se manifestou por meio da materialização do Rio Ganges que atravessa grande parte da Índia. A Ganga é considerada a protetora de todos os outros deuses. Os hindus acreditam que um banho nas águas do Ganges é capaz de purificar os pecados e sanskaras de muitas vidas.

Jiva –Indivíduo social, representando a personalidade humana no contexto de existência racional e material.

Kali Yuga – Yuga = Era. Então Kali Yuga é a era regida pela deusa Kali, que simboliza a destruição ou a transformação intensa de valores humanos escravizantes por serem baseados na materialidade. É a Era atual.

Karma – Literalmente ação. Esta palavra é, muitas vezes, confundida com *prarabdha* que é o destino de cada um, fruto de *karmas* realizados nesta ou em outras vidas.

Maya – Literalmente ilusão. Refere-se à ignorância do indivíduo em relação à sua verdadeira natureza divina.

Nadis – Milhões de pequenos funículos sutis que atravessam os corpos materiais, psicológicos e espirituais dos indivíduos. As *nadis* canalizam as energias num fluxo incessante. Quando acontece algum tipo de obstrução nas *nadis*, provocado por maus pensamentos ou ações erradas, aparecem doenças corporais e psicológicas nas pessoas.

Nirvana – Um estado de consciência plena alcançado ainda no corpo presente.

Paranayamas – Exercícios respiratórios que auxiliam o corpo e a mente a se fortalecerem. São indutores para uma meditação elevada.

Paravirtam – Mudança de Era planetária que estamos atravessando neste momento.

Prana – Energia vital que circunda todas as coisas vivas. Quando o *prana* abandona o corpo a pessoa morre.

Rishis – Sábios que vivem em estado de contemplação consciente. Aqueles que se fundiram a Deus e à eternidade, podendo atuar neste nosso plano por meio de um corpo ou simplesmente por emanações espirituais.

Sadhana – Disciplina espiritual para quem almeja o entendimento do Ser.

Sadhu mouni – Indivíduo que abandonou todas as posses materiais, inclusive, a "fala". Um mouni é alguém que fez voto de silêncio para toda a vida.

Samadhi – Estado de consciência plena. Usa-se também a expressão *mahasamadhi*, que significa que alguém abandonou o seu corpo de maneira consciente em sintonia com o fluxo universal.

Samsara – Fluxo de reencarnações que se repetem enquanto uma alma/espírito não alcança o entendimento do seu verdadeiro Ser e, consequentemente, a liberação definitiva ou iluminação.

Sangha – Reunião de discípulos de um determinado guru ou mestre espiritual. A *sangha* é considerado o próprio corpo do guru na sua ação neste plano existencial.

Sanskaras – Impressões que permanecem no indivíduo durante diversas vidas. Lembranças sutis vivas mesmo depois da natural troca de corpos entre as encarnações. Normalmente os *sanskaras* estão relacionados às ações danosas que permanecem gerando consequências negativas durante as várias vidas das pessoas.

Satsang – Literalmente "conversa sobre a verdade". Expressão utilizada para as palestras de mestres e gurus aos seus discípulos, seguidores e buscadores da verdade.

Satya Yuga – A Era do conhecimento e da consciência desperta. Segundo a tradição védica, é a próxima Era para a qual caminha a humanidade.

Siddhis – Poderes místicos que podem vir com a pessoa no seu nascimento. Mas na maioria dos casos os *siddhis* são adquiridos por meio de *sadhanas* rigorosos ou de *tapasias*.

Surya – Deus védico que manifesta a sua presença entre nós por intermédio do Sol.

Tapasia – Autossacrifícios corporais ou psicológicos que visam à evolução espiritual. São práticas parecidas com a autoflagelação dos monges cristãos. Mas pode ser também uma abstinência de algo que o indivíduo aprecia e lhe proporciona prazer.

Yoga – O significado literal desta palavra é união. Mas é usualmente empregada para as práticas espirituais que visam fundir a personalidade humana ao divino para manifestar a Unidade entre todas as coisas.

Gostou do livro que terminou de ler?
Aponte a câmera de seu celular parao QR Code e descubra um mundo para explorar.

Impressão e Acabamento | Gráfica Viena
Todo papel desta obra possui certificação FSC® do fabricante.
Produzido conforme melhores práticas de gestão ambiental (ISO 14001)
www.graficaviena.com.br